CONTEÚDO DIGITAL PARA ALUNOS

Cadastre-se e transforme seus estudos em uma experiência única de aprendizado:

1 Entre na página de cadastro:
www.editoradobrasil.com.br/sistemas/cadastro

2 Além dos seus dados pessoais e de sua escola, adicione ao cadastro o código do aluno, que garantirá a exclusividade do seu ingresso a plataforma.

6602924A7708393

3 Depois, acesse: www.editoradobrasil.com.br/leb
e navegue pelos conteúdos digitais de sua coleção :D

Lembre-se de que esse código, pessoal e intransferível, é valido por um ano. Guarde-o com cuidado, pois é a única maneira de você utilizar os conteúdos da plataforma.

BRINCANDO COM AS PALAVRAS

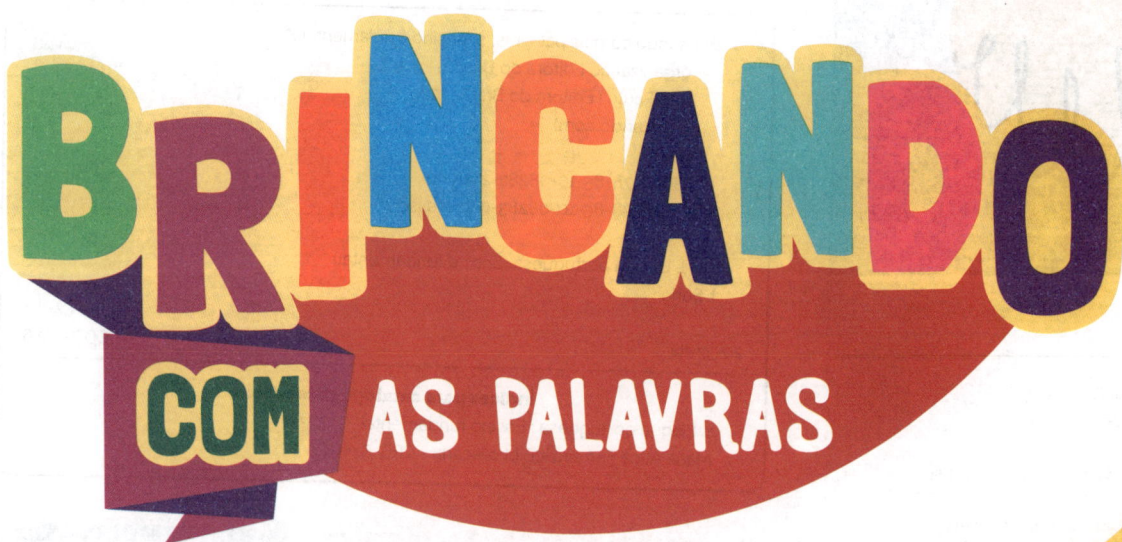

ORGANIZADORA: EDITORA DO BRASIL

1

ENSINO FUNDAMENTAL

3ª EDIÇÃO
SÃO PAULO, 2020

Editora do Brasil

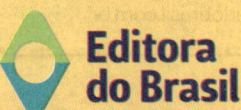

Dados Internacionais de Catalogação na Publicação (CIP)
(Câmara Brasileira do Livro, SP, Brasil)

Brincando com as palavras, 1 : ensino fundamental / organização Editora do Brasil. -- 3. ed. -- São Paulo : Editora do Brasil, 2020. -- (Brincando com)

ISBN 978-85-10-08282-2 (aluno)
ISBN 978-85-10-08283-9 (professor)

1. Língua portuguesa (Ensino fundamental) I. Série.

20-37184   CDD-372.6

Índices para catálogo sistemático:
1. Língua portuguesa : Ensino fundamental   372.6

Maria Alice Ferreira - Bibliotecária - CRB-8/7964

© Editora do Brasil S.A., 2020
Todos os direitos reservados

Direção-geral: Vicente Tortamano Avanso

Direção editorial: Felipe Ramos Poletti
Gerência editorial: Erika Caldin
Supervisão de arte: Andrea Melo
Supervisão de editoração: Abdonildo José de Lima Santos
Supervisão de revisão: Dora Helena Feres
Supervisão de iconografia: Léo Burgos
Supervisão de digital: Ethel Shuña Queiroz
Supervisão de controle de processos editoriais: Roseli Said
Supervisão de direitos autorais: Marilisa Bertolone Mendes

Supervisão editorial: Selma Corrêa
Edição: Camila Gutierrez e Simone D'Alevedo
Assistência editorial: Gabriel Madeira, Júlia Nejelschi e Márcia Pessoa
Auxílio editorial: Laura Camanho
Apoio editorial: Priscila Ramos de Azevedo
Copidesque: Giselia Costa, Ricardo Liberal e Sylmara Beletti
Revisão: Amanda Cabral, Andréia Andrade, Fernanda Almeida, Fernanda Sanchez, Flávia Gonçalves, Gabriel Ornelas, Jonathan Busato, Mariana Paixão, Martin Gonçalves e Rosani Andreani
Pesquisa iconográfica: Priscila Ferraz
Assistência de arte: Daniel Campos Souza
Design gráfico: Cris Viana
Capa: Megalo Design
Edição de arte: Samira de Souza
Imagem de capa: Elvis Calhau
Ilustrações: Avalone, Bruna Ishihara, Claudia Marianno, Danilo Souza, Desenhorama, Fabiana Salomão, Erik Malagrino, Eve Ferretti, Lilian Gonzaga, Marcos Machado, Mario Pita, Motoca Design, Paula Kranz, Rodrigo Alves e Susan Morisse
Produção cartográfica: DAE (Departamento de Arte e Editoração)
Editoração eletrônica: Elbert Stein, José Anderson Campos, Marcos Gubiotti e Viviane Ayumi Yonamine
Licenciamentos de textos: Cinthya Utiyama, Jennifer Xavier, Paula Harue Tozaki e Renata Garbellini
Controle de processos editoriais: Bruna Alves, Carlos Nunes, Rita Poliane, Terezinha de Fátima Oliveira e Valéria Alves

3ª edição / 2ª impressão, 2022
Impresso no parque gráfico da A.R. Fernandez

Editora do Brasil

Rua Conselheiro Nébias, 887
São Paulo, SP – CEP: 01203-001
Fone: +55 11 3226-0211
www.editoradobrasil.com.br

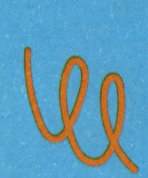

APRESENTAÇÃO

QUERIDO ALUNO,

ESTE LIVRO FOI ESCRITO ESPECIALMENTE PARA VOCÊ, PENSANDO EM SEU APRENDIZADO E NAS MUITAS CONQUISTAS QUE VIRÃO EM SEU FUTURO!

ELE SERÁ UM GRANDE APOIO NA BUSCA DO CONHECIMENTO. UTILIZE-O PARA APRENDER CADA VEZ MAIS NA COMPANHIA DE PROFESSORES, COLEGAS E DE OUTRAS PESSOAS DE SUA CONVIVÊNCIA.

BRINCADEIRAS, POEMAS, CONTOS, ATIVIDADES DIVERTIDAS E MUITOS ASSUNTOS INTERESSANTES FORAM SELECIONADOS PARA VOCÊ APROVEITAR SEU APRENDIZADO E ESCREVER A PRÓPRIA HISTÓRIA!

COM CARINHO,
EDITORA DO BRASIL

SUMÁRIO

VAMOS BRINCAR 7

UNIDADE 1 10
TEXTO – "ALFABETO", DE JOSÉ PAULO PAES 10
BRINCANDO COM AS LETRAS – LETRAS DO ALFABETO 12
CALIGRAFIA – ALFABETO 15

UNIDADE 2 20
TEXTO – CARTAZ DE DIVULGAÇÃO DO FILME *DIVERTIDA MENTE*, PIXAR/DISNEY 20
BRINCANDO COM AS LETRAS – VOGAL E CONSOANTE 21

UNIDADE 3 24
TEXTO – PARLENDA 24
CALIGRAFIA – VOGAL A 26
CALIGRAFIA – VOGAL E 27
CALIGRAFIA – VOGAL I 28
CALIGRAFIA – VOGAL O 29
CALIGRAFIA – VOGAL U 30

UNIDADE 4 36
TEXTO – REGRAS DE CONVIVÊNCIA NA ESCOLA, *G1* 36
BRINCANDO COM AS LETRAS – ENCONTRO VOCÁLICO 38

UNIDADE 5 42
TEXTO – PLACAS DE AVISO 42
BRINCANDO COM AS LETRAS – SÍLABA 44
CALIGRAFIA – BA, BE, BI, BO, BU 47

UNIDADE 6 49
TEXTO – "A CASA", DE VINICIUS DE MORAES 49
CALIGRAFIA – CA, CO, CU 50

UNIDADE 7 55
TEXTO – TRAVA-LÍNGUA 55
CALIGRAFIA – DA, DE, DI, DO, DU .. 56

UNIDADE 8 61
TEXTO – ABC DO TRAVA-LÍNGUA, DE ROSINHA 61
CALIGRAFIA – FA, FE, FI, FO, FU 63

UNIDADE 9 67
TEXTO – "POEMA CONCRETO", DE FÁBIO BAHIA 67
CALIGRAFIA – GA, GO, GU, GÃO ... 68

UNIDADE 10 73
TEXTO – TIRA "TURMA DA MÔNICA", DE MAURICIO DE SOUSA 73
CALIGRAFIA – HA, HE, HI, HO, HU .. 74

UNIDADE 11 77
TEXTO – "O BATALHÃO DAS LETRAS", DE MARIO QUINTANA 77
CALIGRAFIA – JA, JE, JI, JO, JU 78

UNIDADE 12 81
TEXTO – "VIREI UM LEÃO", DE ESTÉFI MACHADO 81
CALIGRAFIA – LA, LE, LI, LO, LU 83

UNIDADE 13 87
TEXTO – CANTIGA 87

CALIGRAFIA – MA, ME, MI, MO, MU 88

UNIDADE 14 93
TEXTO – "MARINHEIRO" 93
CALIGRAFIA – NA, NE, NI, NO, NU 94

UNIDADE 15 97
TEXTO – "ALFABETO DE HISTÓRIAS", DE GILLES EDUAR 97
CALIGRAFIA – PA, PE, PI, PO, PU 98
PEQUENO CIDADÃO – TIPOS DE LETRA 104

UNIDADE 16 105
TEXTO – ANÚNCIO PUBLICITÁRIO, DE PREFEITURA DE BARUERI 105
CALIGRAFIA – RA, RE, RI, RO, RU 107

UNIDADE 17 111
TEXTO – "VOVÔ SAPO", DE SÉRGIO CAPPARELLI 111
CALIGRAFIA – SA, SE, SI, SO, SU 112

UNIDADE 18 117
TEXTO – "TATU-BOLA-DO-NORDESTE", DE VÁRIOS AUTORES 117
CALIGRAFIA – TA, TE, TI, TO, TU 118
BRINCANDO COM AS LETRAS – USO DE LETRA MAIÚSCULA 120

UNIDADE 19 124
TEXTO – CARTAZ "CAMPANHA DE VACINAÇÃO", DO MINISTÉRIO DA SAÚDE 124
CALIGRAFIA – VA, VE, VI, VO, VU 125

UNIDADE 20 128
TEXTO – "ZEBRINHA", DE WANIA AMARANTE 128
CALIGRAFIA – ZA, ZE, ZI, ZO, ZU 130

UNIDADE 21 134
TEXTO 1 – "CORRIDA ABORRECIDA", DE CLAUDIO FRAGATA 134
CALIGRAFIA – CE, CI 135
TEXTO 2 – "PREGUIÇA", DE CÉSAR OBEID E GUATAÇARA MONTEIRO 137
CALIGRAFIA – ÇA, ÇO, ÇU 138

UNIDADE 22 143
TEXTO – "CAÇADORES MATAM DUAS DAS ÚLTIMAS TRÊS GIRAFAS BRANCAS DO MUNDO", DE O POVO 143
BRINCANDO COM AS LETRAS – GE, GI 145

UNIDADE 23 148
TEXTO – "ESQUILO", DE MARIA JOSÉ VALERO 148
CALIGRAFIA – QUA, QUO, QUE, QUI ... 150

UNIDADE 24 155
TEXTO 1 – "BURITI", DE CÉSAR OBEID E GUATAÇARA MONTEIRO 155
CALIGRAFIA – LETRA **R** 159
TEXTO 2 – CAPA DO LIVRO *VIDA DURA DE BORRACHA*, DE REGINA RENNÓ 160
CALIGRAFIA – LETRAS **RR** 161

UNIDADE 25 165
TEXTO – "ADULTO DIZ CADA COISA...", DE MAILZA DE FÁTIMA BARBOSA 165

CALIGRAFIA – LETRAS **SS** 167
BRINCANDO COM AS LETRAS 167

UNIDADE 26 172
TEXTO – "O MÁGICO DE OZ" 172
CALIGRAFIA – LETRA **Z** NO FINAL DAS PALAVRAS 174

UNIDADE 27 176
TEXTO – TIRA "ARMANDINHO", DE ALEXANDRE BECK 176
BRINCANDO COM AS LETRAS – LETRAS **NH** 177

UNIDADE 28 182
TEXTO – "NÃO CONFUNDA...", DE EVA FURNARI 182
BRINCANDO COM AS LETRAS – LETRAS **LH** 184
BRINCANDO COM AS LETRAS – LETRAS **CH** 185

UNIDADE 29 188
TEXTO – "O CARACOL VIAJANTE", DE SÔNIA JUNQUEIRA 188
CALIGRAFIA – AL, EL, IL, OL, UL 189
PEQUENO CIDADÃO – AGENDA DE CONTATOS 194

UNIDADE 30 195
TEXTO – "MACACO NO GALHO", DE RENATA BUENO E SINVAL MEDINA 195
CALIGRAFIA – AM, EM, IM, OM, UM 197

UNIDADE 31 202
TEXTO – "A BORBOLETA AZUL", DE LENIRA ALMEIDA HECK 202
CALIGRAFIA – AN, EN, IN, ON, UN 203

UNIDADE 32 206
TEXTO – "A ÁGUA E O FOGO", DE SÉRGIO CAPPARELLI 206
CALIGRAFIA – AR, ER, IR, OR, UR 207
PEQUENO CIDADÃO – *EMOTICONS* 211

UNIDADE 33 212
TEXTO – "DE BEM COM A VIDA", DE NYE RIBEIRO 212
CALIGRAFIA – AS, ES, IS, OS, US 213

UNIDADE 34 218
TEXTO – CAPA DO LIVRO *NINGUÉM É IGUAL A NINGUÉM*, DE REGINA OTERO E REGINA RENNÓ 218
CALIGRAFIA – GUA, GUE, GUI, GUO 219
BRINCANDO COM AS LETRAS 219

UNIDADE 35 222
TEXTO – "NÓS SOMOS OS MELHORES!", DE SOPHIE SCHMID 222
CALIGRAFIA – BL, CL, FL, GL, PL, TL .. 224

UNIDADE 36 226
TEXTO – "HISTORINHA AO CONTRÁRIO", DE ADRIANA FALCÃO 226
BRINCANDO COM AS LETRAS – BR, CR, DR, FR, GR, PR, TR, VR 228
CALIGRAFIA – USO DO TIL (~) 230

UNIDADE 37 234
TEXTO – "PIRATA DE PALAVRAS", DE JUSSARA BRAGA 234
BRINCANDO COM AS LETRAS – SONS DO X 235
PEQUENO CIDADÃO – MEIOS DE COMUNICAÇÃO 238

ENCARTES 241

VAMOS BRINCAR

VOCÊ GOSTA DE JOGOS DE TABULEIRO? COSTUMA JOGAR COM SEUS AMIGOS E FAMILIARES?

QUAIS SÃO OS JOGOS DE TABULEIRO QUE VOCÊ CONHECE? CONVERSE COM SEUS COLEGAS SOBRE ELES.

ACOMPANHE A LEITURA DAS INSTRUÇÕES DO "JOGO DOS BICHOS", CUJO TABULEIRO ENCONTRA-SE NAS PÁGINAS SEGUINTES.

PREPARE-SE PARA A PARTIDA!

JOGO DOS BICHOS

1. PARA JOGAR O "JOGO DOS BICHOS" VOCÊ VAI PRECISAR DE:

   - 1 COLEGA;
   - 1 DADO;
   - 2 TAMPINHAS DE CORES DIFERENTES;
   - 1 TABULEIRO COM O JOGO DOS BICHOS.

2. UM DE CADA VEZ, JOGA O DADO E ANDA O NÚMERO DE CASAS SORTEADO COM SUA TAMPINHA.

3. CASO SUA TAMPINHA CAIA NAS CASAS COM OS COMANDOS ESCRITOS, SIGA AS ORIENTAÇÕES.

4. VENCE QUEM ALCANÇAR A CHEGADA PRIMEIRO.

1 PARA ESTA BRINCADEIRA, FORME DUPLA COM UM COLEGA.

1. PROVIDENCIEM UM DADO E DUAS TAMPINHAS DE CORES DIFERENTES.

2. UM DE CADA VEZ JOGA O DADO E ANDA O NÚMERO DE CASAS SORTEADO COM SUA TAMPINHA. QUEM VAI VENCER A CORRIDA?

TEXTO

LEIA O TÍTULO DO TEXTO ABAIXO E RESPONDA:

COM QUE LETRA ELE COMEÇA? _____ SEU NOME TEM ESSA LETRA?

QUAIS LETRAS VOCÊ PRECISA JUNTAR PARA FORMAR SEU NOME?

ACOMPANHE A LEITURA DO PROFESSOR.

ALFABETO

O **A** É UMA ESCADA
BEM ABERTA, PELA QUAL
SE SOBE OU SE DESCE.
AS DUAS BARRIGAS
DO **B** NOS AJUDAM
A ESCREVER "BALOFO".
[...]
TEM JEITO DE GARFO
A LETRA **E**, ASSIM NO FIM
DA PALAVRA "FOME".

ILUSTRAÇÕES: DANILO SOUZA

[...]
O **O**, UMA BOCA
QUE, NUM ESPANTO REDONDO,
DIZ APENAS: Ó!
O **P** É A PERNA
DE PAU QUE O PIRATA TIRA
NA HORA DE DORMIR.
O **Q** ERA UM **O**
QUE VIROU GATO: AÍ ESTÁ,
DE COSTAS, COM RABO.
[...]

JOSÉ PAULO PAES. *É ISSO ALI: POEMAS ADULTO-INFANTO-JUVENIS.* SÃO PAULO: SALAMANDRA, 2005. P. 7-10.

BRINCANDO COM O TEXTO

1 DESAFIE SEUS COLEGAS.

1. DESENHEM NO AR O MOVIMENTO DE SUBIR E DESCER PELA ESCADA DO **A**.
2. COM AS MÃOS, IMITEM O FORMATO DAS BARRIGAS DO **B**.
3. FAÇAM UMA BOCA DE ESPANTO BEM REDONDA, COMO A LETRA **O**.
4. PULEM NUMA PERNA SÓ, COMO O PIRATA SEM A PERNA DE PAU DA LETRA **P**.
5. COM O DEDO INDICADOR, DESENHEM NO AR A LETRA **Q**.

 **BRINCANDO COM AS LETRAS**

LETRAS DO ALFABETO

PARA ESCREVER, USAMOS **LETRAS**. O CONJUNTO DE LETRAS É CHAMADO DE **ALFABETO**.

ALFABETO MAIÚSCULO

A B C D E F G H I J
K L M N O P Q R S T
U V W X Y Z

ALFABETO MINÚSCULO

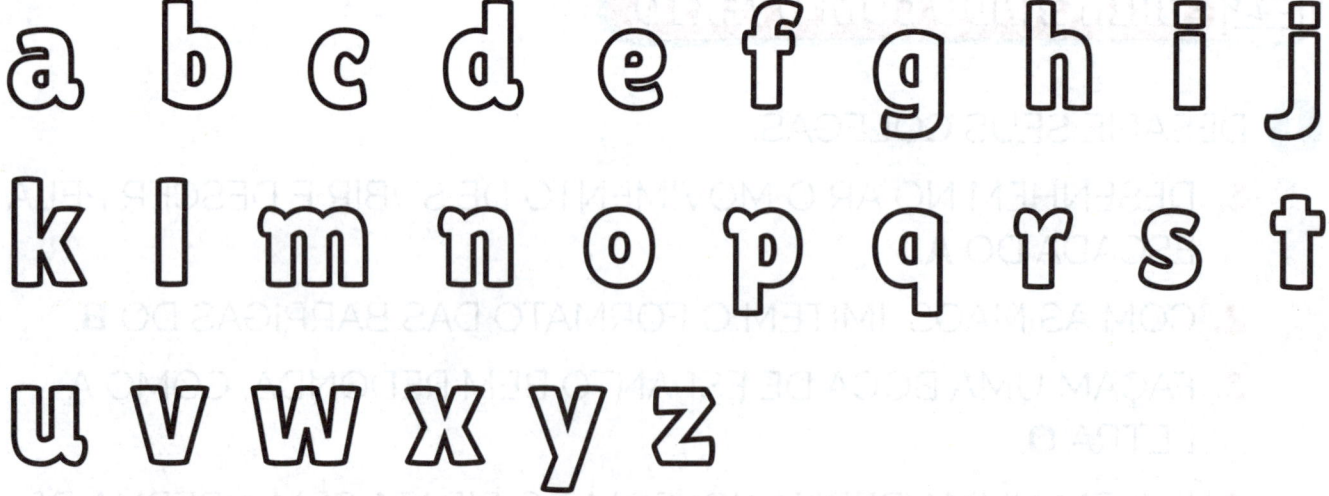

a b c d e f g h i j
k l m n o p q r s t
u v w x y z

1 PINTE AS LETRAS CITADAS NO TRECHO DO POEMA "ALFABETO".

AO ESCREVER, TAMBÉM PODEMOS USAR LETRA **CURSIVA**.

ALFABETO MAIÚSCULO

ALFABETO MINÚSCULO

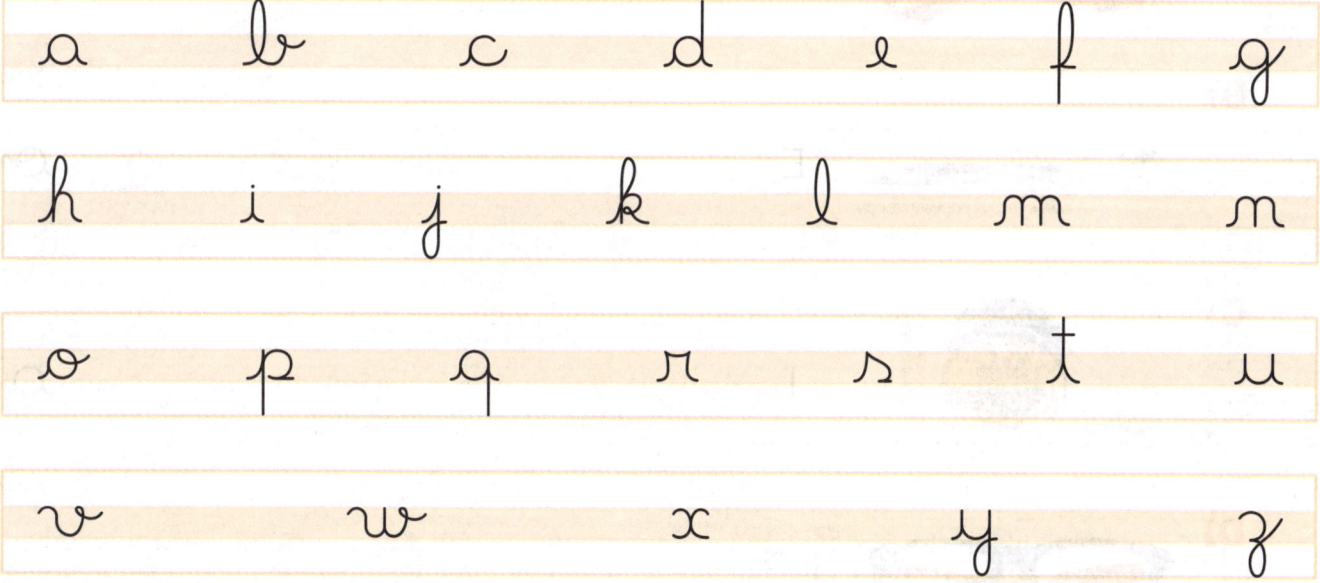

2 ENCONTRE NO ALFABETO MAIÚSCULO ACIMA A PRIMEIRA LETRA DE SEU NOME E CIRCULE-A.

> NO ALFABETO, AS LETRAS SEGUEM UMA ORDEM CHAMADA **ORDEM ALFABÉTICA**.

1 COMPLETE CADA ALFABETO COM AS LETRAS QUE FALTAM.

A	B		D		F	G		I	J	K	L	
N		P	Q		S	T		V		X	Y	

	b	c		e	f		h	i	j		l	m
	o	p		r	s		u	v	w		y	z

2 LIGUE A LETRA BASTÃO À LETRA CURSIVA CORRESPONDENTE A ELA.

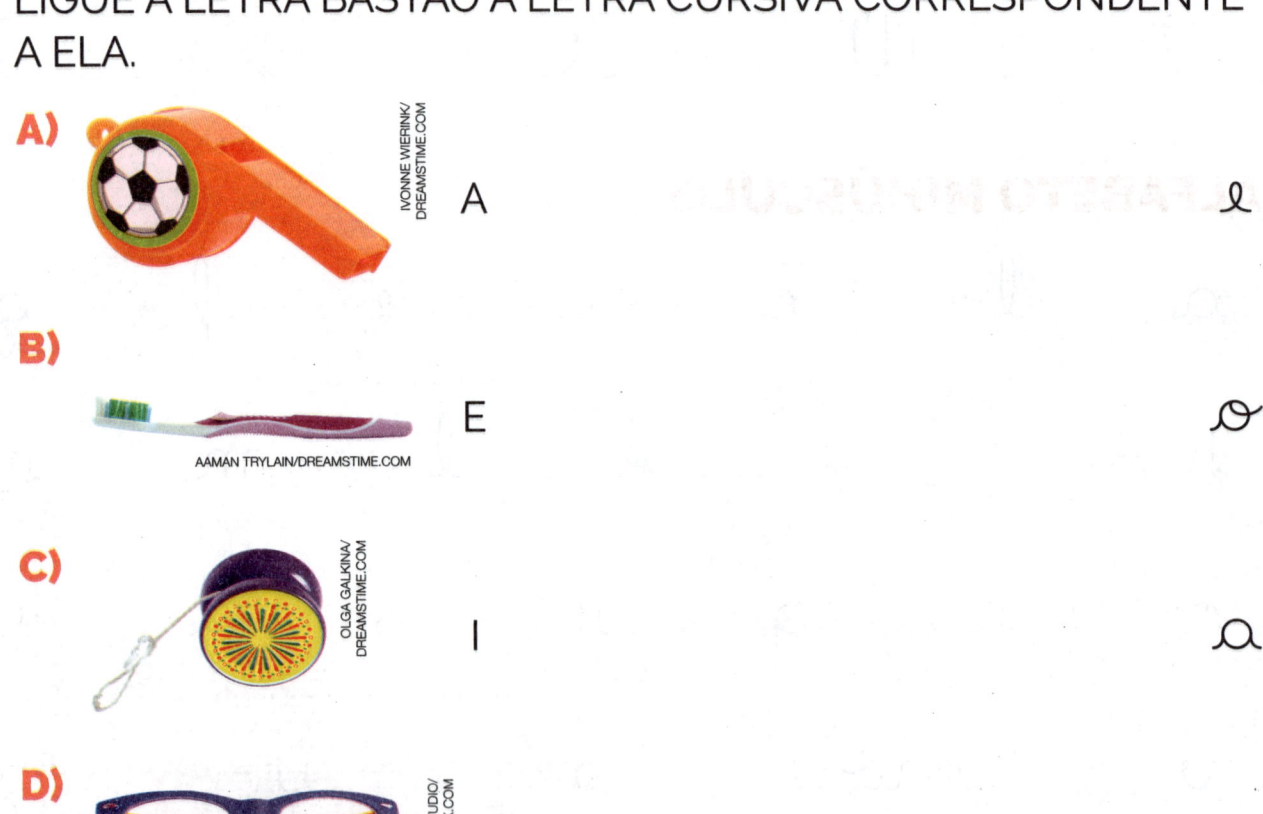

 **CALIGRAFIA**

ALFABETO

1 CUBRA O TRACEJADO DAS LETRAS. DEPOIS, COM OS COLEGAS, DIGA O NOME DE CADA LETRA EM VOZ ALTA.

a b c d e f g h i

j k l m n o p q r

s t u v w x y z

A B C D E F G H I

J K L M N O P Q R

S J U V W X Y Z

2 NOS ALFABETOS ACIMA, CIRCULE AS LETRAS QUE FAZEM PARTE DE SEU NOME. DEPOIS, ESCREVA ESSAS LETRAS NO ESPAÇO ABAIXO.

_____

_____

_____

 **BRINCANDO**

1 VAMOS FAZER UM CRACHÁ! VEJA COMO ELE VAI FICAR:

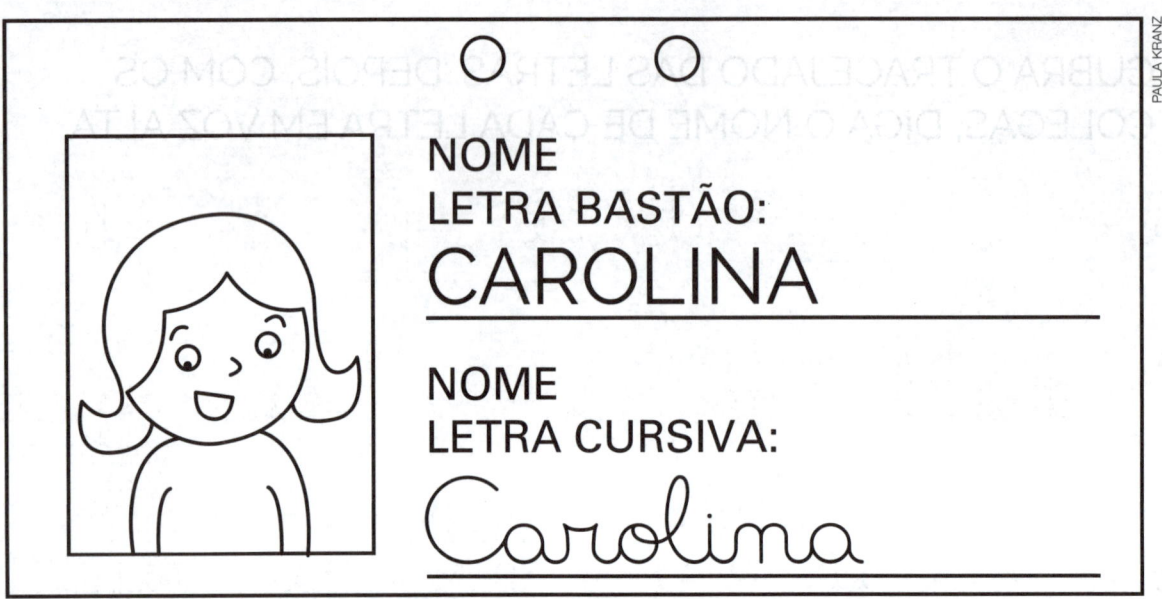

2 SIGA AS ORIENTAÇÕES PARA CONFECCIONAR SEU CRACHÁ.

MATERIAL:
- CRACHÁ DA PÁGINA 17;
- LÁPIS PRETO E COLORIDO;
- PEDAÇO COMPRIDO DE BARBANTE;
- TESOURA SEM PONTA.

COMO FAZER
1. FAÇA UM RASCUNHO DO CRACHÁ ESCREVENDO SEU NOME NOS ESPAÇOS A SEGUIR.
2. PRIMEIRAMENTE, ESCREVA SEU NOME COM LETRA BASTÃO. DEPOIS, ESCREVA-O COM LETRA CURSIVA.

NOME
LETRA BASTÃO:

LETRA CURSIVA:

3. CONFIRA SE NÃO ESTÁ FALTANDO OU SOBRANDO ALGUMA LETRA.

4. AGORA ESCREVA SEU NOME NO CRACHÁ ABAIXO.

5. COLE UMA FOTOGRAFIA SUA OU FAÇA UM DESENHO DE SEU ROSTO.

6. PINTE O CRACHÁ COM SUAS CORES PREFERIDAS.

7. RECORTE O CRACHÁ.

8. COM A AJUDA DE UM ADULTO, FAÇA DOIS FUROS, PASSE O BARBANTE POR ELES E DÊ UM NÓ.

9. PENDURE O CRACHÁ NO PESCOÇO. MOSTRE AOS COLEGAS COMO SE ESCREVE SEU NOME E APRENDA A ESCREVER O NOME DELES TAMBÉM!

PAULA KRANZ

NOME
LETRA BASTÃO:

NOME
LETRA CURSIVA:

LETRA CURSIVA

CONFIRA SE NÃO ESTÁ FALTANDO OU SOBRANDO ALGUMA LETRA.

AGORA ESCREVA SEU NOME NO CRACHÁ ABAIXO.

COLE UMA FOTOGRAFIA SUA OU FAÇA UM DESENHO DE SEU ROSTO.

PINTE O CRACHÁ COM SUAS CORES PREFERIDAS.

RECORTE O CRACHÁ.

COM A AJUDA DE UM ADULTO, FAÇA DOIS FUROS, PASSE O BARBANTE POR ELES E DÊ UM NÓ.

PENDURE O CRACHÁ NO PESCOÇO, MOSTRE AOS COLEGAS COMO SE ESCREVE SEU NOME E APRENDA A ESCREVER O NOME DELES TAMBÉM.

NOME
LETRA BASTÃO

NOME
LETRA CURSIVA

3 RECORTE DE JORNAIS E REVISTAS TODAS AS LETRAS DE SEU NOME. COLE-AS NO ESPAÇO A SEGUIR FORMANDO SEU NOME.

UNIDADE 2

TEXTO

O QUE VOCÊ VÊ NA IMAGEM? VOCÊ CONHECE OS PERSONAGENS ILUSTRADOS?

ACOMPANHE A LEITURA DO PROFESSOR.

CARTAZ DE DIVULGAÇÃO DO FILME *DIVERTIDA MENTE*. EUA, PIXAR/DISNEY, 2015.

 **BRINCANDO COM O TEXTO**

1) RESPONDA ORALMENTE.

A) DE QUE FILME É ESSE CARTAZ?

B) VOCÊ JÁ VIU ESSE FILME? SE VIU, GOSTOU?

C) NO CARTAZ, ONDE OS PERSONAGENS DO FILME ESTÃO?

D) DE QUE OUTRO NOME PODEMOS CHAMAR AS "PEQUENAS VOZES" DE DENTRO DA NOSSA CABEÇA?

 **BRINCANDO COM AS LETRAS**

VOGAL E CONSOANTE

NO ALFABETO DA LÍNGUA PORTUGUESA HÁ **VOGAIS** E **CONSOANTES**.

VOGAIS
A E I O U
CONSOANTES
B C D F G H J K L M N P Q R S T V W X Y Z

1) PINTE NO CARTAZ AS CONSOANTES DO NOME DO FILME.

2) CIRCULE AS VOGAIS DA FRASE DO CARTAZ DESTACADA A SEGUIR.

CONHEÇA AS PEQUENAS

VOZES DE DENTRO DA

SUA CABEÇA.

ATIVIDADES

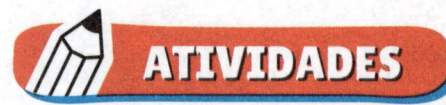

1 COMPLETE AS PALAVRAS COM AS **CONSOANTES** QUE FALTAM.

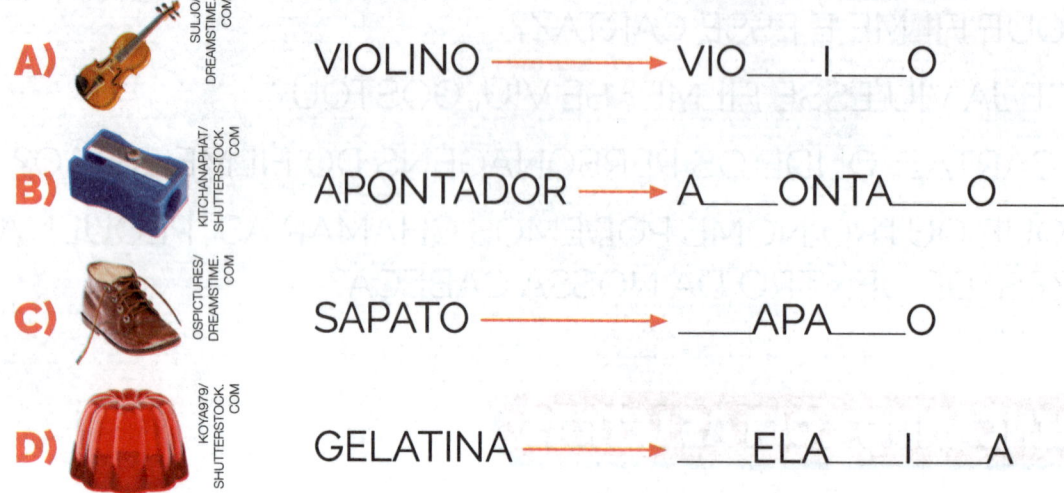

A)
SULJO/DREAMSTIME.COM

VIOLINO → VIO____I____O

B)
KITCHANAPHAT/SHUTTERSTOCK.COM

APONTADOR → A____ONTA____O____

C)
OSPICTURES/DREAMSTIME.COM

SAPATO → ____APA____O

D)
KOYA979/SHUTTERSTOCK.COM

GELATINA → ____ELA____I____A

2 AGORA COMPLETE AS PALAVRAS COM **VOGAIS**.

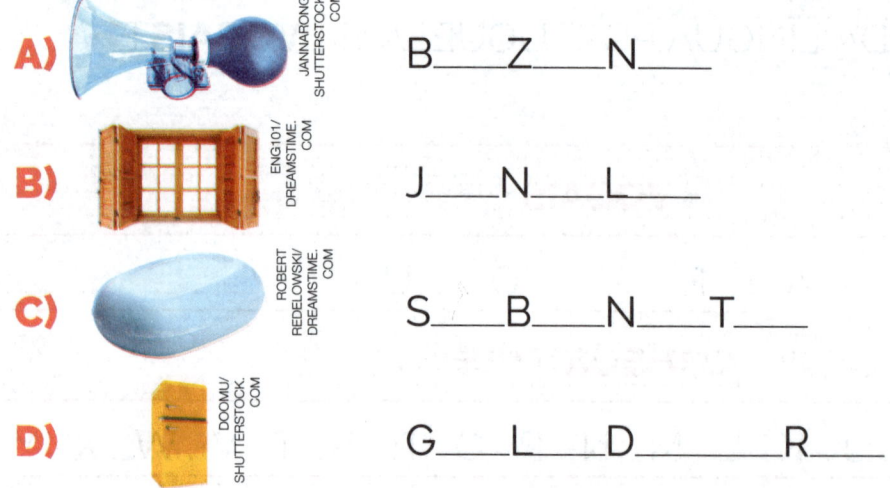

A)
JANNARONG/SHUTTERSTOCK.COM

B____Z____N____

B)
ENG101/DREAMSTIME.COM

J____N____L____

C)
ROBERT REDELOWSKI/DREAMSTIME.COM

S____B____N____T____

D)
DOOMU/SHUTTERSTOCK.COM

G____L____D________R____

3 CIRCULE DE **VERMELHO** AS PALAVRAS INICIADAS POR VOGAIS E DE **VERDE** AS PALAVRAS INICIADAS POR CONSOANTES.

A) ESTOJO

PETR MALYSHEV/DREAMSTIME.COM

B) SINO

VERDATEO/DREAMSTIME.COM

C) TAPETE

KSENIA PALIMSKI/DREAMSTIME.COM

D) ÔNIBUS

MIHAIL SYAROV/DREAMSTIME.COM

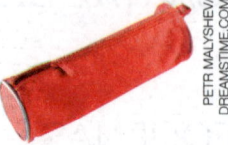

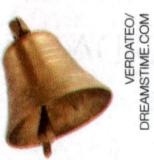

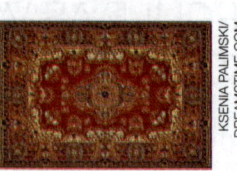

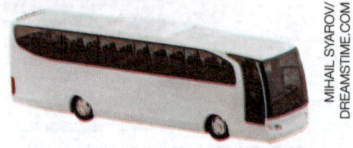

4 CIRCULE AS FIGURAS QUE TÊM O NOME INICIADO POR VOGAL.

A) DADO

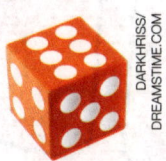

DARKHRISS/ DREAMSTIME.COM

C) CORDA

SEVENKE/ SHUTTERSTOCK.COM

E) TIJOLO

NITO/SHUTTERSTOCK.COM

B) ÍMÃ

VLAD IVANTCOV/ DREAMSTIME.COM

D) OMELETE

PEREDNIANKINA/ SHUTTERSTOCK.COM

F) IOIÔ

MORTEN BAK/ SHUTTERSTOCK.COM

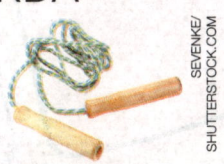

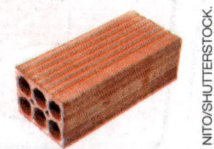

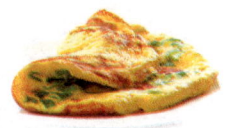

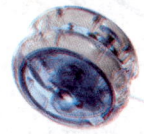

5 PINTE AS FIGURAS QUE TÊM O NOME INICIADO POR CONSOANTE.

A) XÍCARA

D) CABIDE

ILUSTRAÇÕES: DESENHORAMA

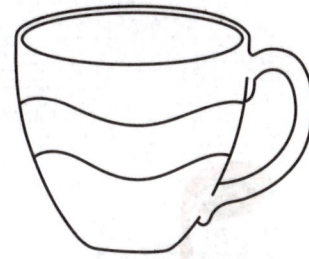

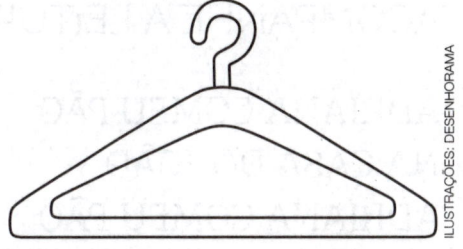

B) ABÓBORA

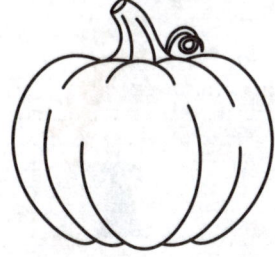

E) PIPOCA

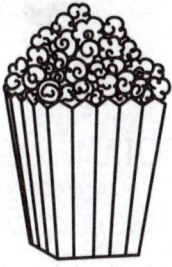

C) BOIA

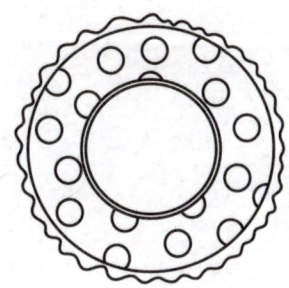

F) UNHA

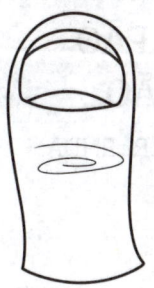

UNIDADE 3

TEXTO

VAMOS CONHECER UMA PARLENDA PARA BRINCAR COM O NOME DAS PESSOAS.

ACOMPANHE A LEITURA DO PROFESSOR.

ADRIANA COMEU PÃO
NA CASA DO JOÃO.
ADRIANA COMEU PÃO
NA CASA DO JOÃO.

QUEM, EU?
VOCÊ!
EU NÃO!
ENTÃO QUEM FOI?
FOI O DANIEL.

DANIEL COMEU PÃO
NA CASA DO JOÃO
DANIEL COMEU PÃO
NA CASA DO JOÃO...

PARLENDA.

 **BRINCANDO COM O TEXTO**

1 LEIA ESTE NOME COM A AJUDA DO PROFESSOR.

A D R I A N A

■ PINTE AS LETRAS DESSE NOME NO ALFABETO.

A B C D E F G H I J
K L M N O P Q R S T
U V W X Y Z

2 MARQUE UM **X** NAS RESPOSTAS CORRETAS.

A) QUEM COMEU PÃO?

☐ JOÃO.   ☐ ADRIANA.   ☐ DANIEL.

B) O NOME **ADRIANA** TEM:

☐ 6 LETRAS.   ☐ 7 LETRAS.   ☐ 8 LETRAS.

C) NO NOME **ADRIANA** A LETRA REPETIDA É:

☐ J.   ☐ L.   ☐ A.

3 COMPLETE ESTES NOMES RETIRADOS DA PARLENDA COM AS LETRAS QUE FALTAM.

___ O Ã ___   D ___ N I E ___

4 COPIE DA PARLENDA UMA PALAVRA QUE TERMINA COM O MESMO SOM DE **JOÃO**.

_____

 **CALIGRAFIA**

VOGAL A

1 LEIA ESTA VOGAL E COPIE-A COM LETRA CURSIVA.

a

a

 **ATIVIDADES**

1 SUBLINHE O NOME DAS FRUTAS QUE TÊM A LETRA **A**.

A) COCO   **B)** LARANJA   **C)** PÊSSEGO   **D)** ABACAXI

2 CIRCULE A VOGAL **A** DAS PALAVRAS QUE VOCÊ SUBLINHOU.

3 LIGUE CADA PALAVRA À FIGURA CORRESPONDENTE A ELA.

A) AGULHA

B) ÁRVORE

C) ABACATE

 **CALIGRAFIA**

VOGAL E

1 LEIA ESTA VOGAL E COPIE-A COM LETRA CURSIVA.

$\mathcal{E}$

e

ATIVIDADES

1 CIRCULE DE **AZUL** A LETRA **E** DAS PALAVRAS ABAIXO. DEPOIS PINTE AS IMAGENS.

A) PENA **B)** BONECA **C)** ESCADA

  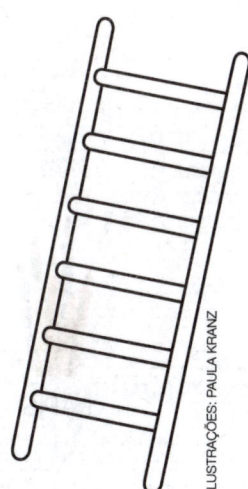

2 COMPLETE AS PALAVRAS COM A LETRA **E**.

A) CAST____LO

C) MART____LO

B) CAN____CA

D) P____T____CA

 **CALIGRAFIA**

VOGAL I

1 LEIA ESTA VOGAL E COPIE-A COM LETRA CURSIVA.

ATIVIDADES

1 EM QUAIS DESSES NOMES DE OBJETO VOCÊ ENCONTRA A LETRA I? LIGUE AO BAÚ, COM UM FIO, APENAS OS NOMES QUE TÊM A LETRA I.

RÁDIO — ANEL — PIÃO — LÁPIS — BAÚ — ESCOVA — CARTEIRA — BRINCO — PIPA

 **CALIGRAFIA**

VOGAL O

1 LEIA ESTA VOGAL E COPIE-A COM LETRA CURSIVA.

 **ATIVIDADES**

1 ACOMPANHE A LEITURA DO PROFESSOR.

ORDEM
EM SEU LUGAR
SEM RIR SEM FALAR
COM UM PÉ
COM O OUTRO
COM UMA MÃO
COM A OUTRA
BATE PALMAS
PIRUETA
TRAZ PRA FRENTE
PANCADA.

PARLENDA.

ERIK MALAGRINO

2 CIRCULE A LETRA **O** DO TÍTULO DA PARLENDA.

3 PINTE DE **VERMELHO** AS OUTRAS PALAVRAS QUE TAMBÉM COMEÇAM COM A LETRA **O**.

 **CALIGRAFIA**

VOGAL U

1 LEIA ESTA VOGAL E COPIE-A COM LETRA CURSIVA.

 **ATIVIDADES**

1 ACOMPANHE A LEITURA DO PROFESSOR.

EU VI
[...]
EU VI UM CANGURU
CARREGANDO UM **JABURU**.
[...]
EU VI UM URSO **PALERMA**
NO ESCURO DA CAVERNA.
ELE LIGOU UMA LANTERNA
PARA UM CURSO DE BADERNA.

JONAS RIBEIRO. *EU VI!* SÃO PAULO: MUNDO MIRIM, 2009. P. 13 E 17.

 **GLOSSÁRIO**

JABURU: AVE SÍMBOLO DO PANTANAL. TEM O PESCOÇO PRETO E A BASE DELE É VERMELHA.
PALERMA: BOBO, TONTO.

2 CIRCULE TODAS AS PALAVRAS DO TEXTO "EU VI" QUE TÊM A LETRA **U**. ESCOLHA QUATRO DELAS E COPIE-AS ABAIXO.

_____

_____

_____

_____

3 MARQUE COM **X** AS PALAVRAS COMEÇADAS POR **U**.

☐ UMBIGO

☐ VESPA

☐ UVA

☐ ESPADA

☐ URUBU

4 LIGUE CADA VOGAL ESCRITA COM LETRA BASTÃO À LETRA CURSIVA CORRESPONDENTE A ELA.

A) O   ℰ

B) I   a

C) E   a

D) U   u

E) A   o

          i

5 LEIA ESTAS VOGAIS E PALAVRAS. DEPOIS, COPIE-AS EM LETRA CURSIVA.

A) *A a arara*

B) *E e ema*

C) *I i isca*

D) *O o oca*

E) *U u unha*

 **BRINCANDO**

1 QUE TAL MONTAR UM QUEBRA-CABEÇA DE PALAVRAS?

1. DESTAQUE A PÁGINA 33 E RECORTE AS PEÇAS COM AS PARTES DE PALAVRAS.
2. COM OS COLEGAS, JUNTE AS PEÇAS PARA FORMAR AS PALAVRAS A SEGUIR.

| AMORA | EMPADA | IGREJA |

| OVELHA | UMBIGO |

A	GRE	GO
VE	EM	JA
RA	I	O
UM	LHA	PA
MO	DA	BI

2 VAMOS BRINCAR DE **CORRA, SEU URSO!**. VEJA COMO PARTICIPAR.

1. A TURMA VAI ESCOLHER UM COLEGA PARA SER O "URSO". ELE FICARÁ DE COSTAS PARA VOCÊS.

2. TODOS JUNTOS DEVEM GRITAR "CORRA, SEU URSO!" E SAIR CORRENDO.

3. O "URSO" VAI TENTAR PEGAR OS COLEGAS.

4. CADA PESSOA EM QUE O "URSO" ENCOSTAR VIRARÁ UM "URSINHO" E O AJUDARÁ A PEGAR OS DEMAIS PARTICIPANTES.

5. O JOGO TERMINA QUANDO TODOS SE TRANSFORMAREM EM "URSOS".

ILUSTRAÇÕES: ERIK MALAGRINO

UNIDADE 4

TEXTO

O TEXTO QUE O PROFESSOR VAI LER É UMA LISTA DE REGRAS DE CONVIVÊNCIA NA ESCOLA. O QUE VOCÊ ACHA QUE ESTÁ ESCRITO NESSA LISTA?

REGRAS DE CONVIVÊNCIA NA ESCOLA

- CHEGAR À ESCOLA NO HORÁRIO
- SER COMPORTADO
- PRESTAR ATENÇÃO ÀS EXPLICAÇÕES DO PROFESSOR
- OBEDECER AOS PROFESSORES
- NÃO JOGAR LIXO NO CHÃO
- TER POSTURA CORRETA AO SENTAR
- NÃO CONVERSAR SEM NECESSIDADE
- FAZER A TAREFA DE CASA
- CAPRICHAR NAS ATIVIDADES DE SALA
- RESPEITAR OS COLEGAS

OBJETIVO SOROCABA. COTIDIANO: A IMPORTÂNCIA DAS NORMAS DE CONVIVÊNCIA PARA O BEM-ESTAR NA ESCOLA. *G1*, 15 MAR. 2018. DISPONÍVEL EM: https://g1.globo.com/sao-paulo/sorocaba-jundiai/especial-publicitario/objetivo-sorocaba/conduzindo-o-melhor-de-voce/noticia/cotidiano-a-importancia-das-normas-de-convivencia-para-o-bem-estar-na-escola.ghtml. ACESSO EM: 22 ABR. 2020.

BRINCANDO COM O TEXTO

1 QUANTAS REGRAS FORAM LISTADAS?
_____

2 ESCREVA A REGRA QUE ESTÁ SENDO SEGUIDA NA CENA.

_____

3 LIGUE AS REGRAS.

OBEDECER   SEM NECESSIDADE

NÃO CONVERSAR   OS COLEGAS

RESPEITAR   AOS PROFESSORES

4 CONVERSE COM OS COLEGAS E DÊ SUA OPINIÃO.
- VOCÊ ACHA QUE ESSAS REGRAS SÃO IMPORTANTES PARA A CONVIVÊNCIA NA ESCOLA? POR QUÊ?

5 COPIE AS DUAS REGRAS QUE VOCÊ CONSIDERA MAIS IMPORTANTES.

_____
_____
_____
_____

BRINCANDO COM AS LETRAS

ENCONTRO VOCÁLICO

POR VEZES, AS VOGAIS APARECEM JUNTAS EM UMA PALAVRA. OBSERVE.

OI! OI! EI! EU! AI!

ILUSTRAÇÕES: ERIK MALAGRINO

> CHAMAMOS DE **ENCONTRO VOCÁLICO** A SEQUÊNCIA DE VOGAIS EM UMA PALAVRA. EXEMPLOS: C**ÉU**, G**AI**TA.

1 PINTE DE **AZUL** OS ENCONTROS VOCÁLICOS DA LISTA DE REGRAS DE CONVIVÊNCIA NA ESCOLA, PÁGINA 36.

2 ESCREVA NOS QUADRINHOS AS LETRAS QUE FALTAM PARA COMPLETAR A PALAVRA.

M ☐ N G ☐ ☐

ATIVIDADES

1 SUBSTITUA OS DESENHOS PELAS VOGAIS CORRESPONDENTES A ELES. DEPOIS, LEIA AS PALAVRAS QUE VOCÊ FORMOU.

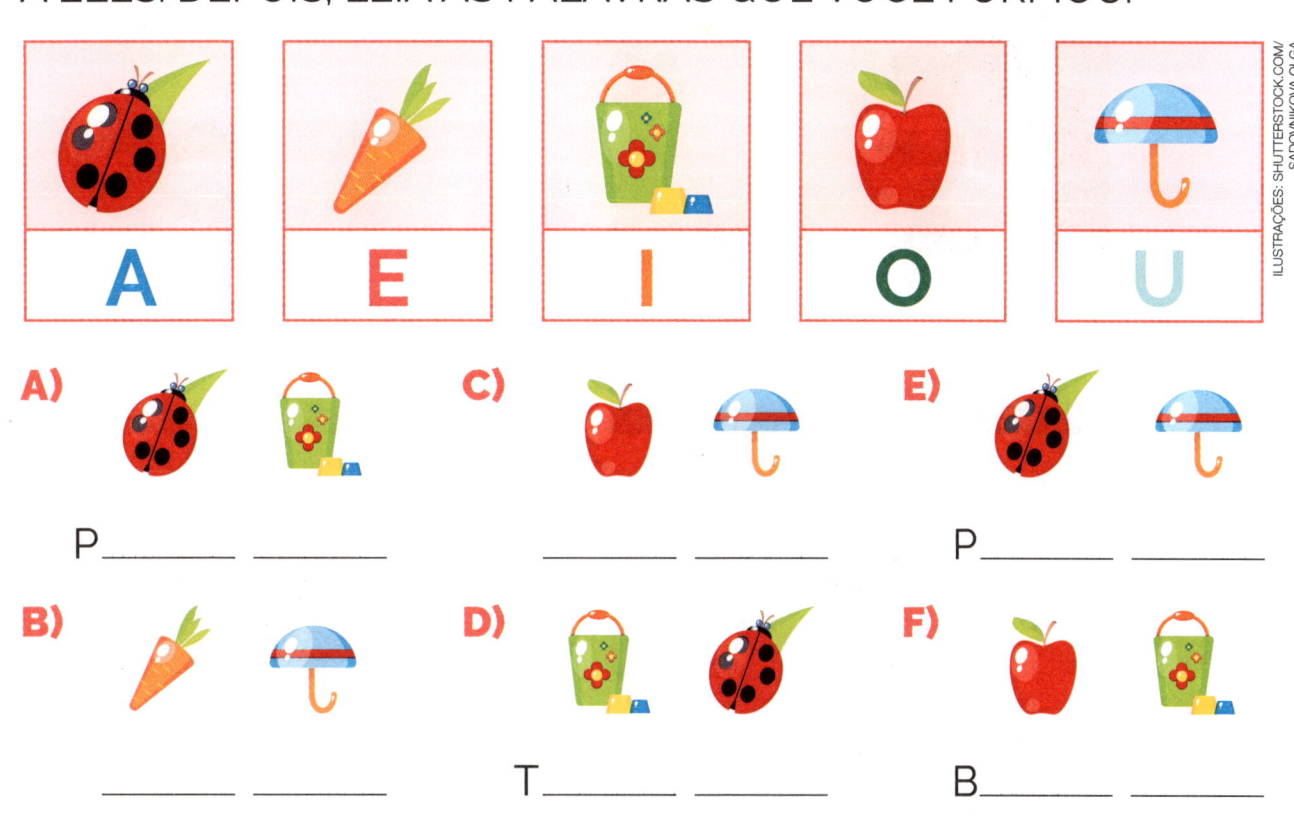

| A | E | I | O | U |

A) P_____ _____

B) _____ _____

C) _____ _____

D) T_____ _____

E) P_____ _____

F) B_____ _____

2 CIRCULE AS PALAVRAS QUE O PROFESSOR DITAR. DEPOIS, COPIE TODAS ELAS.

| fui | pia | oi | cão | eu |

| vou | foi | mãe | rei | cai |

3 O QUE CADA PERSONAGEM ESTÁ DIZENDO? RECORTE OS BALÕES DA PÁGINA 253 E COLE-OS NAS CENAS ADEQUADAS.

A)

B)

C)

D)

E)

F)

BRINCANDO

LISTA DE REGRAS

TROQUE IDEIAS COM OS COLEGAS E DITEM PARA O PROFESSOR ESCREVER NA LOUSA ALGUMAS REGRAS PARA ORGANIZAR A CONVIVÊNCIA NA SALA DE AULA.

DEPOIS, COPIE A LISTA NAS LINHAS A SEGUIR.

UNIDADE 5

TEXTO

OS TEXTOS A SEGUIR SÃO PLACAS DE AVISO. O QUE VOCÊ ACHA QUE ESTÁ ESCRITO?

AVISO
POR MOTIVO DE HIGIENE, AJUDE A MANTER ESTE LOCAL LIMPO

AVISO
USE O CINTO DE SEGURANÇA

AVISO
PROIBIDO O USO DE CELULAR NESTA ÁREA

ILUSTRAÇÕES: BRUNA ISHIHARA

BRINCANDO COM O TEXTO

1 O QUE ESTÁ ESCRITO EM DESTAQUE NO INÍCIO DE CADA PLACA? COPIE.

_____

2 OBSERVE OS DESENHOS DE CADA PLACA. LIGUE CADA UM AO QUE REPRESENTAM.

PESSOA COM CINTO DE SEGURANÇA.

CELULAR PROIBIDO.

PESSOA JOGANDO LIXO NA LIXEIRA.

3 O CÍRCULO VERMELHO COM UM RISCO DIAGONAL SIGNIFICA QUE:

☐ É PROIBIDO.   ☐ NÃO É PROIBIDO.

4 COPIE O AVISO DA PÁGINA 42 QUE VOCÊ PODE COLOCAR NA CANTINA OU NO PÁTIO DE SUA ESCOLA.

_____

_____

BRINCANDO COM AS LETRAS

SÍLABA

LEIA AS PARTES DA PALAVRA ABAIXO.

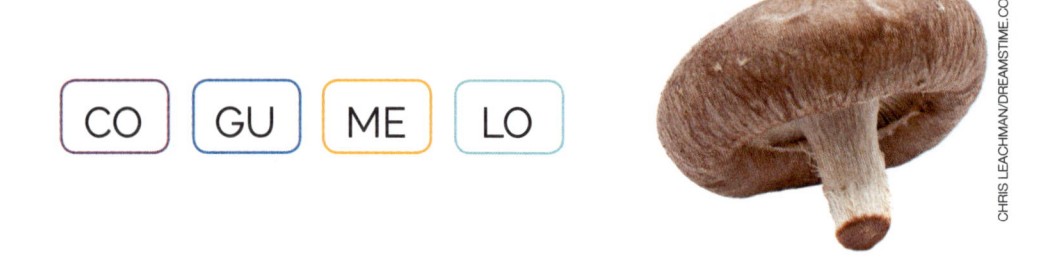

CO GU ME LO

SÍLABA É CADA UMA DAS PARTES DE UMA PALAVRA.

AS PALAVRAS PODEM TER:

- 1 SÍLABA → COR
- 2 SÍLABAS → SO LA
- 3 SÍLABAS → CA MI SA
- 4 SÍLABAS OU MAIS → NA TU RE ZA

1 JUNTE AS SÍLABAS PARA FORMAR PALAVRAS E ESCREVA-AS NOS ESPAÇOS.

A) CA BI DE → _____

B) BI CU DO → _____

C) BO NE CA → _____

D) CE BO LA → _____

ATIVIDADES

1 SEPARE EM SÍLABAS AS PALAVRAS NOS QUADRINHOS. PINTE OS QUADRINHOS QUE VOCÊ NÃO USAR.

A) AMIZADE

B) XÍCARA

C) CAMA

D) DÓ

2 REGISTRE NO QUADRO AS PALAVRAS DA ATIVIDADE 1, DE ACORDO COM O NÚMERO DE SÍLABAS DE CADA UMA.

1 SÍLABA	2 SÍLABAS	3 SÍLABAS	4 SÍLABAS

3 ESCREVA O NOME DAS FIGURAS COLOCANDO CADA SÍLABA EM UM QUADRINHO.

A)

B)

C)

D)

4 FORME PALAVRAS UNINDO AS SÍLABAS CORRESPONDENTES AOS DESENHOS E ESCREVA AS PALAVRAS NOS ESPAÇOS.

🎈	🚚	🍦	🏠	✏️	✈️	🎨
CA	MA	FA	LA	NE	PA	TA

A) 🎈 🚚 _____

B) 🍦 🎈 _____

C) 🚚 🎈 _____

D) 🎈 ✈️ _____

E) 🍦 🚚 _____

F) 🚚 🏠 _____

G) 🎈 ✏️ 🎈 _____

H) ✈️ 🎨 _____

I) ✏️ 🎨 _____

J) ✈️ ✏️ 🏠 _____

K) 🎈 ✏️ 🏠 _____

L) 🎈 ✏️ 🎨 _____

CALIGRAFIA

BA, BE, BI, BO, BU

1 LEIA ESTAS SÍLABAS E COPIE-AS COM LETRA CURSIVA.

Ba   Be   Bi   Bo   Bu

ba   be   bi   bo   bu

2 ACOMPANHE A LEITURA DO TEXTO. DEPOIS, CIRCULE AS PALAVRAS INICIADAS COM **B**.

A BOTA DO BODE

O BODE VIU UMA BOTA.
O BODE COLOCOU A BOTA NUMA PATA.
E FICOU MUITO GOZADO!
UMA BOTA NUMA PATA
E TRÊS PATAS SEM BOTAS!
[...]

MARY FRANÇA E ELIARDO FRANÇA. *A BOTA DO BODE*. SÃO PAULO: ÁTICA, 2000. P. 3-5.

3 COPIE AS PALAVRAS.

bala *bota* *bolo*

bola *bode* *botas*

BRINCANDO

1 VAMOS FAZER BOLINHAS DE SABÃO? SIGA AS INSTRUÇÕES E DIVIRTA-SE!

MATERIAL:
- 1 COPO COM ÁGUA;
- 1 COLHER DE SOPA DE SABÃO EM PÓ;
- CANUDO DE PLÁSTICO OU ARGOLA.

COMO FAZER

1. MISTURE BEM A ÁGUA E O SABÃO COM O CANUDO OU A ARGOLA.
2. MOLHE O CANUDO OU A ARGOLA NA MISTURA E SOPRE SUAVEMENTE ATÉ FORMAR BOLHAS DE SABÃO.

UNIDADE 6

TEXTO

CIRCULE A PALAVRA **CASA** TODAS AS VEZES QUE ELA APARECER NO TEXTO. ACOMPANHE A LEITURA DO PROFESSOR.

A CASA

ERA UMA CASA
MUITO ENGRAÇADA
NÃO TINHA TETO
NÃO TINHA NADA
NINGUÉM PODIA ENTRAR NELA, NÃO
PORQUE NA CASA NÃO TINHA CHÃO
NINGUÉM PODIA DORMIR NA REDE
PORQUE NA CASA NÃO TINHA PAREDE
NINGUÉM PODIA FAZER PIPI
PORQUE PENICO NÃO TINHA ALI
MAS ERA FEITA COM MUITO **ESMERO**
NA RUA DOS BOBOS
NÚMERO ZERO.

VINICIUS DE MORAES. A CASA. *IN: A ARCA DE NOÉ: POEMAS INFANTIS.* SÃO PAULO: COMPANHIA DAS LETRINHAS, 1991. P. 28.

GLOSSÁRIO

ESMERO: CUIDADO, CAPRICHO.

BRINCANDO COM O TEXTO

1 RESPONDA ORALMENTE.

A) POR QUE A CASA ERA MUITO ENGRAÇADA?

B) QUAL ERA O ENDEREÇO DA CASA?

C) O POEMA DIZ QUE A CASA NÃO TINHA NADA, MAS ERA FEITA COM CAPRICHO. POR QUE ISSO É ESTRANHO?

CALIGRAFIA

CA, CO, CU

1 LEIA E ESCREVA ESTAS SÍLABAS EM LETRA CURSIVA.

Ca   Co   Cu   *ca   co   cu*

ATIVIDADES

1 COMPLETE O NOME DOS ANIMAIS COM **CA**, **CO** OU **CU**.

A) JA _____ RÉ

B) VA _____

C) _____ VALO

D) _____ RUJA

E) JA _____

F) _____ ELHO

G) _____ TIA

H) MACA _____

2 COMPLETE O DIAGRAMA E DESCUBRA A PALAVRA MISTERIOSA. DEPOIS, FAÇA UM DESENHO PARA REPRESENTÁ-LA.

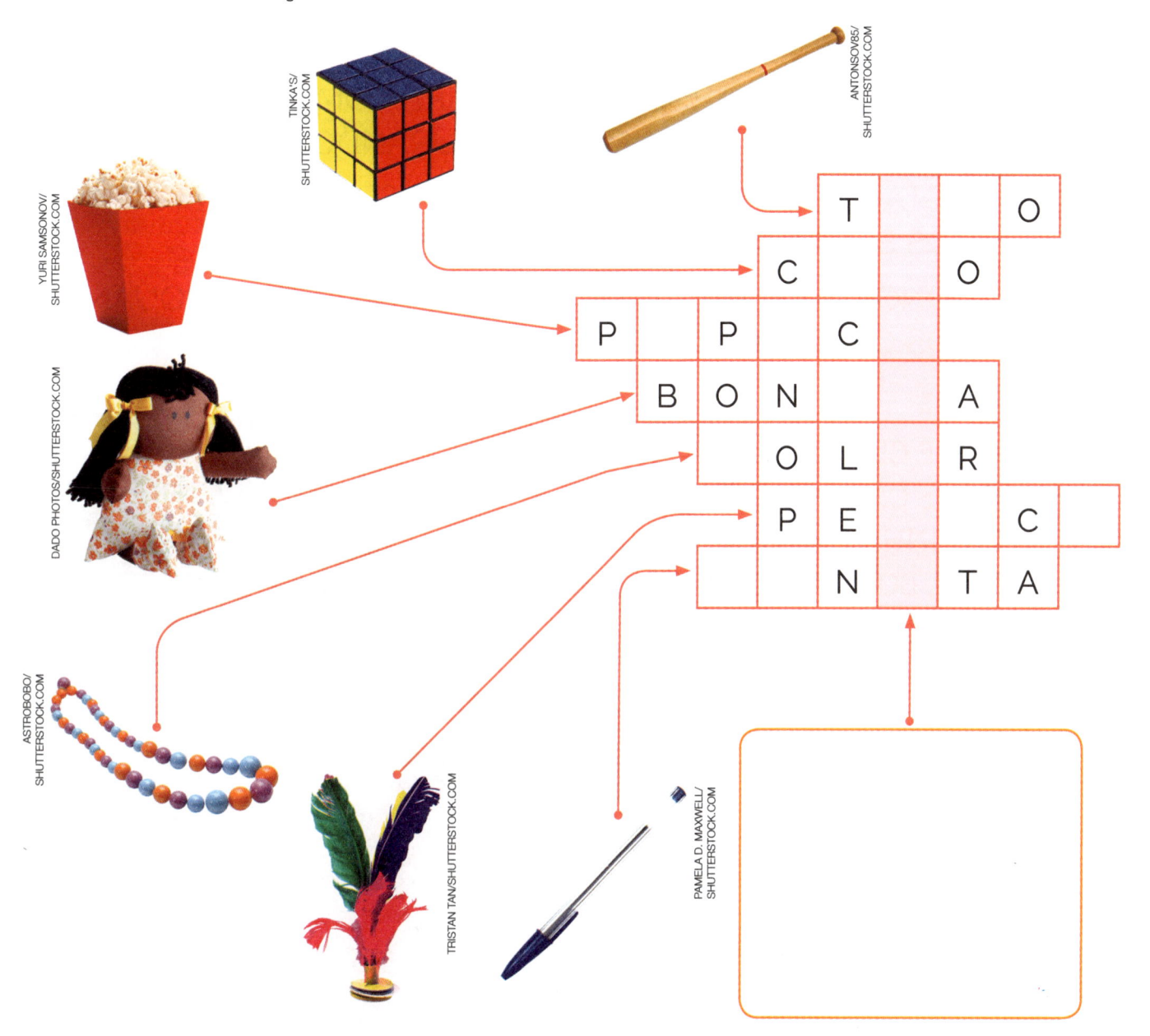

				T			O
			C				O
P		P		C			
	B	O	N			A	
		O	L			R	
		P	E			C	
			N		T	A	

3 AGORA, PINTE DE **VERDE** NO DIAGRAMA OS QUADRINHOS QUE FORMAM AS SÍLABAS **CA**, **CO**, **CU**.

4 COPIE DO DIAGRAMA AS PALAVRAS QUE COMEÇAM COM **CA**, **CO**, **CU**. USE LETRA CURSIVA.

BRINCANDO

1 VAMOS BRINCAR DE "CORRE CUTIA"?

1. A TURMA ESCOLHE UM COLEGA PARA COMEÇAR A BRINCADEIRA. ELE FICA DE PÉ SEGURANDO UM LENÇO.
2. O RESTANTE DO GRUPO FORMA UMA GRANDE RODA COM TODOS SENTADOS DE OLHOS FECHADOS.
3. O "DONO DO LENÇO" ANDA EM VOLTA DA RODA, ENQUANTO TODOS CANTAM A CANTIGA:

TODOS:
CORRE CUTIA NA CASA DA TIA,
CORRE CIPÓ NA CASA DA VÓ.
LENCINHO NA MÃO, CAIU NO CHÃO.
MOÇA BONITA DO MEU CORAÇÃO.

DONO DO LENÇO:
POSSO JOGAR?

TODOS:
PODE!

DONO DO LENÇO:
NINGUÉM VAI OLHAR?

TODOS:
NÃO!

CANTIGA.

4. EM ALGUM MOMENTO DA CANTORIA, O "DONO DO LENÇO" DEIXA-O CAIR ATRÁS DE ALGUÉM DA RODA SEM QUE NINGUÉM PERCEBA.

5. TODOS ABREM OS OLHOS AO MESMO TEMPO E PROCURAM O LENÇO.

6. QUEM O ENCONTRAR CORRE PARA PEGAR O "DONO DO LENÇO". ELE, POR SUA VEZ, CORRE PARA SENTAR-SE NO LUGAR VAGO NA RODA.

7. SE O "DONO DO LENÇO" FOR PEGO, FICA COM O LENÇO MAIS UMA VEZ. SE CONSEGUIR PEGAR O LUGAR DO COLEGA, ESTE PASSA A SER O NOVO "DONO DO LENÇO".

8. A BRINCADEIRA RECOMEÇA.

LISTA DE COMPRAS

1 CARLOS E CORINA VÃO À FEIRA COM A MÃE. VAMOS AJUDÁ-LOS A TERMINAR A LISTA DE COMPRAS? COMPLETE O NOME DAS FRUTAS COM **CA**, **CO** OU **CU**. DEPOIS, PINTE AS IMAGENS.

- 1 ABA_____XI
- 2 MARA_____JÁS
- 4 _____JUS
- 5 MEXERI_____S
- 2 _____RAMBOLAS
- 4 _____QUIS
- 2 _____COS
- 1 CAIXA DE JABUTI_____BAS
- 1 POLPA DE _____PUAÇU

2 EM CASA, COM A AJUDA DOS FAMILIARES, PREPARE UMA LISTA DE COMPRAS COM OS ITENS QUE VOCÊS COSTUMAM COMPRAR NA FEIRA OU NO MERCADO. DEPOIS, NA SALA DE AULA, COMPARE SUA LISTA COM A DE UM COLEGA.

UNIDADE 7

TEXTO

VOCÊ JÁ BRINCOU DE TRAVA-LÍNGUA? SABE POR QUE A BRINCADEIRA TEM ESSE NOME?

ACOMPANHE COM ATENÇÃO A LEITURA DO PROFESSOR. DEPOIS, RECITE O TRAVA-LÍNGUA.

O DOCE PERGUNTOU PRO DOCE:
QUAL É O DOCE MAIS DOCE?
O DOCE RESPONDEU PRO DOCE
QUE O DOCE MAIS DOCE
É O DOCE DE DOCE
DE BATATA-DOCE.

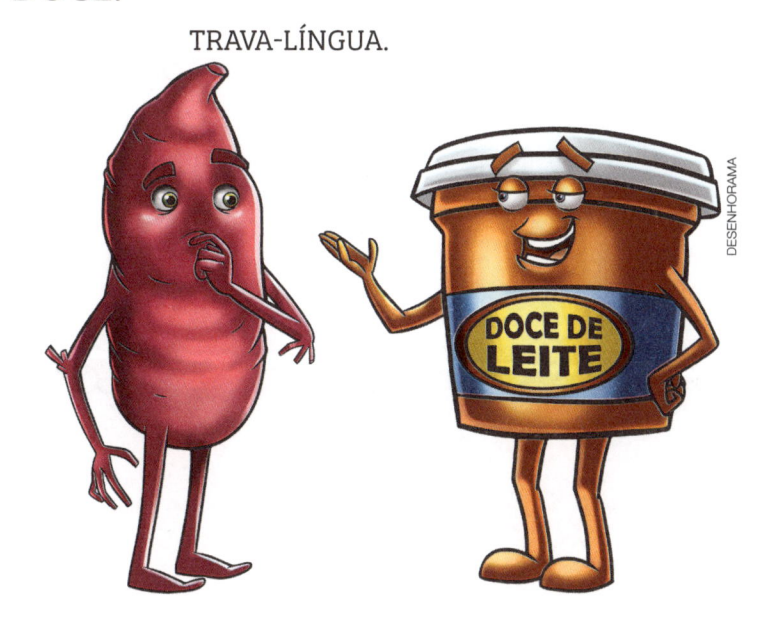

TRAVA-LÍNGUA.

BRINCANDO COM O TEXTO

1 QUE PALAVRA APARECE VÁRIAS VEZES NO TRAVA-LÍNGUA? COPIE-A.

_____

2 COPIE DO TRAVA-LÍNGUA:

A) A PERGUNTA QUE O DOCE FEZ AO OUTRO DOCE.

_____

B) A RESPOSTA DADA PELO DOCE AO OUTRO DOCE.

_____
_____
_____

CALIGRAFIA

DA, DE, DI, DO, DU

1 LEIA ESTAS SÍLABAS E COPIE-AS COM LETRA CURSIVA.

Da De Di Do Du

da de di do du

2 COMPLETE AS PALAVRAS COM **DA**, **DE**, **DI**, **DO** OU **DU**. DEPOIS, COPIE-AS COM LETRA CURSIVA.

A) _____NHEIRO

B) MOE _____

C) MA_____RO

D) CA_____ADO

E) A_____BO

F) GA_____

ATIVIDADES

1 SEPARE AS PALAVRAS EM SÍLABAS.

A) MADAME

B) PEDIDO

C) IDADE

D) VIAGEM

2 MARQUE COM **X** A PALAVRA QUE COMPLETA A FRASE COM O SENTIDO ADEQUADO.

EDU COMEU UM 〇.

☐ DADO ☐ DOCE

BRINCANDO

1 DANIEL E DENISE TÊM UMA LISTA DE OBJETOS PARA PROCURAR. VAMOS AJUDÁ-LOS? CIRCULE OS OBJETOS DA LISTA.

- dado
- dedal
- dentadura
- despertador
- diploma
- dominó

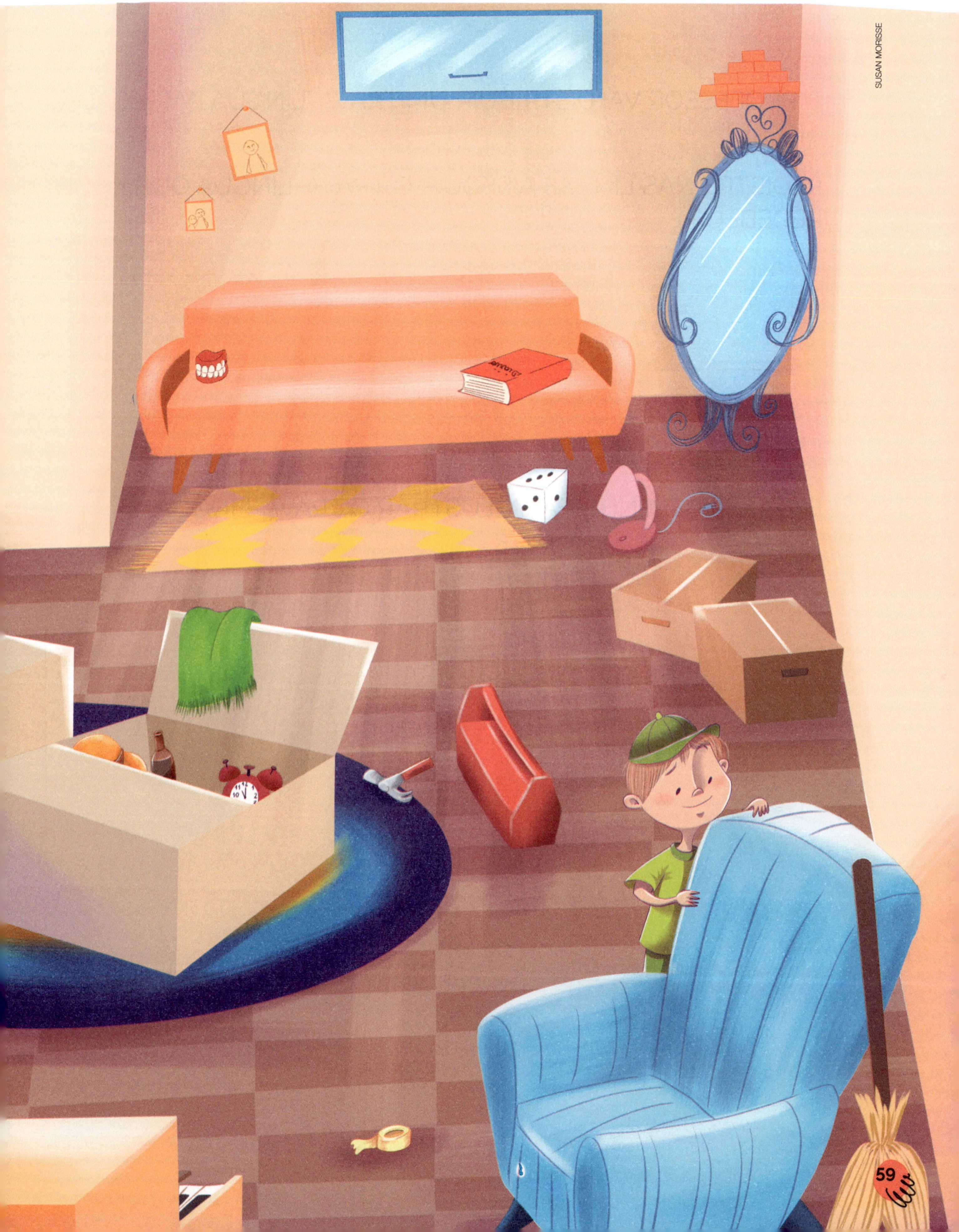

SUSAN MORISSE

TRAVA-LÍNGUA

O PROFESSOR VAI DISTRIBUIR UM TRAVA-LÍNGUA PARA CADA ALUNO.

1 REGISTRE NAS LINHAS A SEGUIR O TRAVA-LÍNGUA QUE VOCÊ RECEBEU.

_____
_____
_____
_____
_____

2 FAÇA UM DESENHO PARA ILUSTRAR O TRAVA-LÍNGUA.

UNIDADE 8

TEXTO

OBSERVE A PRIMEIRA LETRA DE CADA PALAVRA DO TEXTO. O QUE VOCÊ PERCEBEU?

ACOMPANHE A LEITURA DO PROFESSOR.

F

FAUSTO FISGA O FLORETE
FISGA FLAUTA, FRUTAS, FLORES
FAZ DAS FITAS DA FOLIA
FESTA PARA SEUS AMORES.

ROSINHA. *ABC DO TRAVA-LÍNGUA*. SÃO PAULO: EDITORA DO BRASIL, 2012. P. 9.

BRINCANDO COM O TEXTO

1 QUE NOME DE PESSOA ESTÁ ESCRITO NO POEMA? PINTE-O.

FAGUNDES   FAUSTINO   FAUSTO

2 ESCREVA O NOME DOS OBJETOS.

ILUSTRAÇÕES: BRUNA ISHIHARA

_____   _____

3 O QUE FAUSTO FAZ PARA SEUS AMORES? MARQUE UM **X**.

☐ FESTA   ☐ FOLIA   ☐ FITAS

4 RESPONDA ÀS QUESTÕES.

A) HÁ PALAVRAS DO TEXTO QUE VOCÊ NÃO SABE O QUE SIGNIFICAM? QUAIS?

_____
_____

B) QUE PALAVRAS DO POEMA TÊM FINAL PARECIDO?

_____
_____

5 CIRCULE NO TEXTO AS PALAVRAS QUE COMEÇAM COM A LETRA **F**.

CALIGRAFIA

FA, FE, FI, FO, FU

1 LEIA ESTAS SÍLABAS E COPIE-AS COM LETRA CURSIVA.

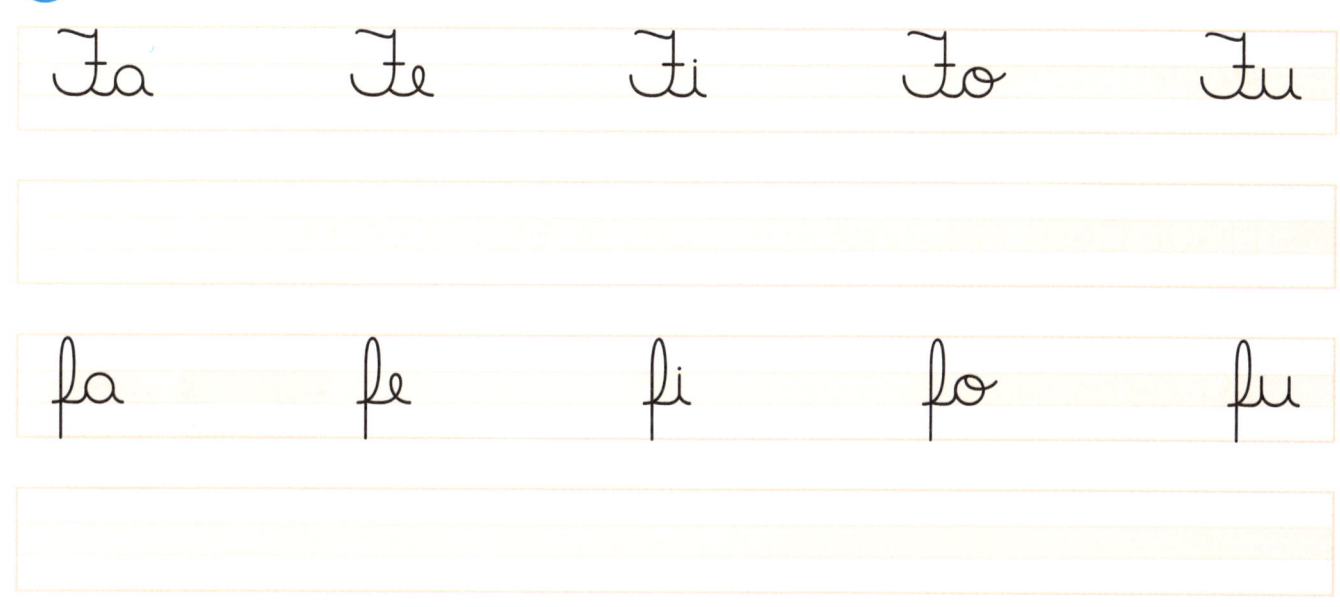

Fa   Fe   Fi   Fo   Fu

fa   fe   fi   fo   fu

ATIVIDADES

1 LEIA ESTAS PALAVRAS. DEPOIS, PINTE OS QUADRINHOS DAS SÍLABAS **FA**, **FE**, **FI**, **FO** OU **FU**.

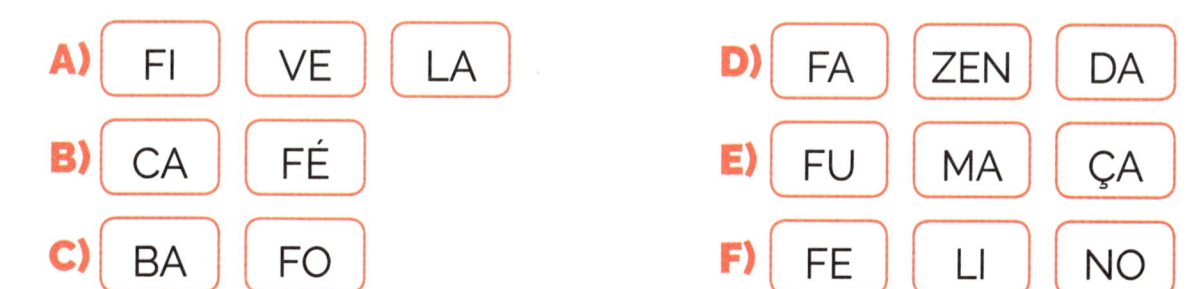

A) FI | VE | LA
B) CA | FÉ
C) BA | FO
D) FA | ZEN | DA
E) FU | MA | ÇA
F) FE | LI | NO

2 ESCREVA A LETRA **F** PARA COMPLETAR AS PALAVRAS.

A) ___ARO___A

B) ___ESTA

C) ___ELINO

D) ___O___URA

E) ___ILHO

F) ___URO

3 COMPLETE AS PALAVRAS COM **FA**, **FE**, **FI**, **FO** OU **FU**.

A) _____ MÍLIA

B) _____ TOGRAFIA

C) _____ TEBOL

D) _____ TA

E) _____ BRE

F) _____ MOSO

G) _____ GO

H) _____ TURO

I) _____ CHADURA

J) _____ GURA

4 LIGUE CADA PALAVRA ÀQUILO QUE ELA NOMEIA.

A) FANTOCHE

B) FEIJÃO

C) FOLHA

D) FUNIL

E) FIGO

5 RECORTE DE JORNAIS E REVISTAS PALAVRAS COM AS SÍLABAS **FA**, **FE**, **FI**, **FO**, **FU** E COLE-AS NOS ESPAÇOS CORRESPONDENTES.

FA

FE

FI

FO

FU

BRINCANDO

1 VAMOS BRINCAR DE "SEU MESTRE MANDOU"?

1. ESCOLHAM UM COLEGA PARA SER O MESTRE. ELE DEVE FICAR DE FRENTE PARA O RESTO DA TURMA.

2. O MESTRE INICIA A BRINCADEIRA E TODOS OS DEMAIS RECITAM JUNTOS A FALA DO GRUPO.

   MESTRE: NA BOCA DO FORNO!
   GRUPO: FORNO!
   MESTRE: ASSAR O BOLO!
   GRUPO: BOLO!
   MESTRE: FARÃO TUDO O QUE SEU MESTRE MANDAR?
   GRUPO: FAREMOS!

3. O MESTRE DEVE DAR UM COMANDO. POR EXEMPLO: "SEU MESTRE MANDOU... PULAR NUM PÉ SÓ!". TODOS OBEDECEM.

4. O MESTRE CONTINUA DANDO COMANDOS, MAS SÓ DEVE SER SEGUIDO SE COMEÇAR A ORDEM DIZENDO "SEU MESTRE MANDOU...".

5. SE ALGUM PARTICIPANTE SEGUIR A ORDEM NO MOMENTO ERRADO OU FICAR PARADO NO MOMENTO DE OBEDECER, A BRINCADEIRA RECOMEÇARÁ COM OUTRO MESTRE.

UNIDADE 9

TEXTO

OBSERVE O TEXTO A SEGUIR. O QUE CHAMA SUA ATENÇÃO? ACOMPANHE A LEITURA DO PROFESSOR.

Meu gato, um safado de bigode, pensa que é caçador, vê se pode? Caçador de afagos, talvez seja, pelo tanto que boceja. Felinos são belo mistério.

Fábio Bahia
@poema.concreto

FÁBIO BAHIA. *POEMA CONCRETO*. 7 MAIO 2019. DISPONÍVEL EM: https://www.facebook.com/poema.concreto/posts/580008725824870/. ACESSO EM: 24 ABR. 2020.

BRINCANDO COM O TEXTO

1 RESPONDA ÀS QUESTÕES ORALMENTE.

A) QUE FIGURA VOCÊ OBSERVA NO TEXTO?

B) QUAL É O ASSUNTO DESSE TEXTO?

2 CIRCULE NO TEXTO O NOME DO ANIMAL INICIADO COM A LETRA **G**.

3 EM UMA FOLHA AVULSA, DESENHE OUTRO ANIMAL CUJO NOME INICIE COM A LETRA **G**. DEPOIS MOSTRE SEU DESENHO AOS COLEGAS.

CALIGRAFIA

GA, GO, GU, GÃO

1 LEIA ESTAS SÍLABAS E COPIE-AS COM LETRA CURSIVA.

Ga   Go   Gu   Gão

ga   go   gu   gão

ATIVIDADES

1 RECORTE DE REVISTAS OU JORNAIS SEIS PALAVRAS INICIADAS PELA LETRA **G** E COLE-AS A SEGUIR.

2 COPIE AS FRASES SUBSTITUINDO AS IMAGENS PELAS PALAVRAS QUE AS NOMEIAM.

A) AS MEIAS ESTÃO NA SEGUNDA ____.

_____

B) AS ____ DA CHUVA ESCORRIAM PELA JANELA.

_____

C) O ____ É FEITO DE MANDIOCA.

_____

D) COMPRAMOS UM ____ NOVO.

_____

E) ONDE VOCÊ GUARDOU OS ____?

_____

ILUSTRAÇÕES: DESENHORAMA

3 ENCONTRE NO DIAGRAMA AS PALAVRAS ESCRITAS NO QUADRO ABAIXO.

- GAIOLA
- VAGÃO
- GAITA
- LEGUME
- GALOPE
- FOGO
- COLEGA
- GALO

G	W	X	G	A	I	O	L	A	B	C	A
A	Y	Z	H	S	G	V	A	G	Ã	O	G
D	G	A	I	T	A	D	R	S	O	V	O
P	A	A	S	Z	L	E	G	U	M	E	D
E	F	T	E	G	A	L	O	P	E	F	S
G	A	L	O	R	I	F	Y	R	P	Z	T
U	E	K	C	O	L	E	G	A	F	W	U
P	X	Q	E	T	U	W	F	O	G	O	X

4 COPIE AS PALAVRAS DA ATIVIDADE 3 NO QUADRO. SIGA O EXEMPLO.

GAIOLA	GAI-O-LA	3

BRINCANDO

PARLENDA

1 VAMOS BRINCAR COM UMA PARLENDA MUITO CONHECIDA.

A) ACOMPANHE COM ATENÇÃO A LEITURA DO PROFESSOR E ESCREVA AS PALAVRAS QUE FALTAM.

B) COM OS COLEGAS, REPITA A PARLENDA ALGUMAS VEZES PARA MEMORIZÁ-LA.

C) SE PREFERIR, COPIE A PARLENDA EM UMA FOLHA DE PAPEL, FAÇA UM DESENHO PARA ACOMPANHÁ-LA E PINTE-O.

A _____ DO VIZINHO
BOTA OVO AMARELINHO.

BOTA _____,
BOTA DOIS,
BOTA TRÊS,

_____ QUATRO,
BOTA CINCO,
BOTA SEIS,
BOTA SETE,

BOTA _____,
BOTA NOVE,

_____ DEZ!

PARLENDA.

2 APRENDA UMA BRINCADEIRA QUE SE CHAMA "GATO E RATO PELO TÚNEL".

1. A TURMA ESCOLHE UM COLEGA PARA SER O GATO E OUTRO PARA SER O RATO.
2. OS OUTROS COLEGAS DÃO AS MÃOS E FORMAM UMA RODA, COM AS PERNAS BEM AFASTADAS, FORMANDO UM TÚNEL.
3. A BRINCADEIRA COMEÇA COM O RATO NO CENTRO DA RODA E O GATO DO LADO DE FORA.
4. O GATO CORRE ATRÁS DO RATO PASSANDO PELOS TÚNEIS.
5. QUANDO O RATO É PEGO, PASSA A FAZER PARTE DA RODA. O GATO PASSA A SER O RATO, E OUTRO COLEGA DA RODA PASSA A SER O GATO.
6. A BRINCADEIRA SE REPETE ATÉ TODOS TEREM SIDO GATO E RATO.

UNIDADE 10

A TEXTO

OBSERVE OS QUADRINHOS. VOCÊ SABE QUEM É O PERSONAGEM? ACOMPANHE A LEITURA DO PROFESSOR.

...OU VOCÊ SE ACOSTUMA A DORMIR DE BOCA FECHADA OU VAI POLUIR TUDO ISTO AQUI!

MAURICIO DE SOUSA. *TURMA DA MÔNICA.*

BRINCANDO COM O TEXTO

1 RESPONDA ÀS QUESTÕES ORALMENTE.

A) QUAL É O NOME DO PERSONAGEM DA HISTÓRIA?

B) QUE LETRA DO NOME DO PERSONAGEM FOI REPRESENTADA POR UM DESENHO?

C) NO COMEÇO DA HISTÓRIA, O QUE VOCÊ ACHOU QUE ACONTECERIA?

D) O FIM DA HISTÓRIA SURPREENDEU VOCÊ? CONVERSE COM A TURMA SOBRE ISSO.

UMA **HISTÓRIA EM QUADRINHOS** TAMBÉM PODE SER CHAMADA DE **HQ**, QUE SÃO AS PRIMEIRAS LETRAS DESSAS PALAVRAS.

CALIGRAFIA

HA, HE, HI, HO, HU

1 LEIA ESTAS SÍLABAS E COPIE-AS COM LETRA CURSIVA.

Ha   He   Hi   Ho   Hu

ha   he   hi   ho   hu

ATIVIDADES

1) LEIA AS FRASES COM ATENÇÃO. ESCREVA EM CADA FRASE A PALAVRA DO QUADRO QUE MELHOR COMPLETA SEU SENTIDO.

| HORÁCIO | HANDEBOL | HORTA | HOLANDA |
| HOJE | HISTÓRIA | HOMEM | HORTALIÇAS |

A) _____ TITIA VIAJA PARA A _____.

B) AQUELE _____ JOGA _____.

C) A _____ ESTÁ CHEIA DE _____ NOVAS.

D) A TURMA LEU UMA _____ DO _____.

2) MARQUE COM UM **X** O NOME DAS FIGURAS INICIADAS POR **H**.

☐ HELICÓPTERO ☐ CADERNO ☐ COMPUTADOR

☐ BALÃO ☐ HIPOPÓTAMO ☐ HARPA

BRINCANDO

1 VAMOS USAR A CRIATIVIDADE PARA CONTAR A HISTÓRIA DE ARMANDINHO? OBSERVE A TIRINHA COM ATENÇÃO.

ALEXANDRE BECK. *ARMANDINHO*: *SEIS*. FLORIANÓPOLIS: ARTE & LETRAS COMUNICAÇÃO, 2015. P. 23.

AGORA, RESPONDA ORALMENTE:

A) NO PRIMEIRO QUADRINHO, O QUE CHAMA A ATENÇÃO DE ARMANDINHO?

B) NO SEGUNDO QUADRINHO, O QUE ARMANDINHO PENSA EM FAZER?

C) O QUE ELE PERCEBE NO TERCEIRO QUADRINHO?

D) COMO ARMANDINHO RESOLVE ESSE PROBLEMA NO ÚLTIMO QUADRINHO?

2 COM A TURMA, DITE A HISTÓRIA COMPLETA PARA O PROFESSOR ESCREVER NA LOUSA. DEPOIS, COPIE-A ABAIXO.

_____
_____
_____
_____
_____
_____

UNIDADE 11

TEXTO

VOCÊ CONHECE ALGUMA PALAVRA INICIADA PELA LETRA **J**?

ACOMPANHE A LEITURA DO PROFESSOR.

O BATALHÃO DAS LETRAS

COM **J** SE ESCREVE JULIETA,
COM **J** SE ESCREVE JOSÉ:
UM JOGA NA BORBOLETA.
O OUTRO NO JACARÉ.

MARIO QUINTANA. *O BATALHÃO DAS LETRAS*. RIO DE JANEIRO: ALFAGUARA, 2014.

BRINCANDO COM O TEXTO

1. RESPONDA ORALMENTE:

   A) QUE NOMES SÃO ESCRITOS COM A LETRA **J**?

   B) QUE OUTRAS PALAVRAS DO POEMA TAMBÉM COMEÇAM COM A LETRA **J**?

2. CIRCULE NO POEMA OS ANIMAIS MENCIONADOS.

CALIGRAFIA

JA, JE, JI, JO, JU

1 LEIA ESTAS SÍLABAS E COPIE-AS COM LETRA CURSIVA.

Ja   Je   Ji   Jo   Ju

ja   je   ji   jo   ju

2 COMPLETE AS PALAVRAS COM **JA**, **JE**, **JI**, **JO** OU **JU**. DEPOIS, COPIE-AS COM LETRA CURSIVA.

A) CA _____

B) TI _____ LO

C) _____ PE

D) _____ CA

E) _____ NIPAPO

F) BANDE _____

ATIVIDADES

1) DESCUBRA AS PALAVRAS JUNTANDO AS SÍLABAS E ESCREVA-AS NOS ESPAÇOS.

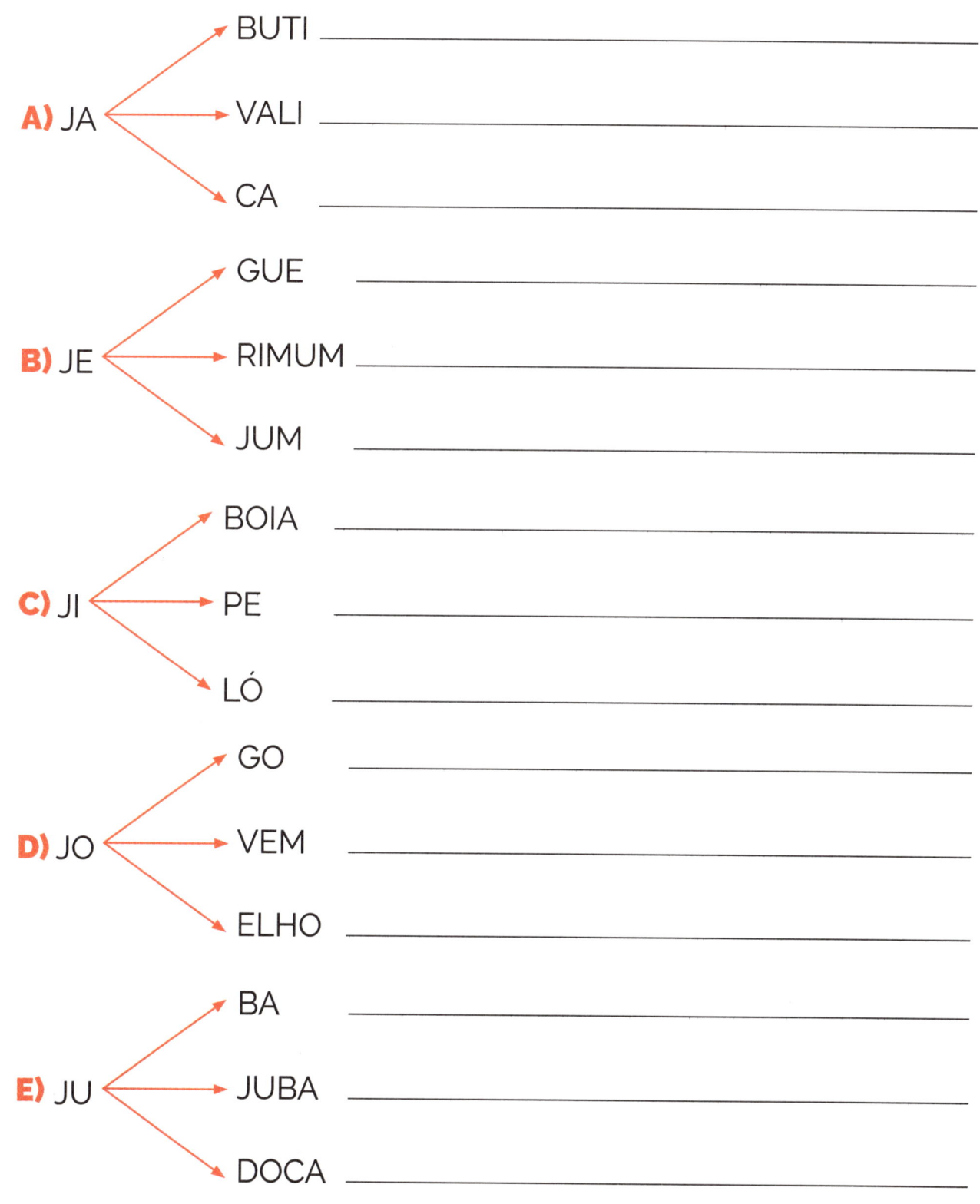

A) JA
- BUTI _____
- VALI _____
- CA _____

B) JE
- GUE _____
- RIMUM _____
- JUM _____

C) JI
- BOIA _____
- PE _____
- LÓ _____

D) JO
- GO _____
- VEM _____
- ELHO _____

E) JU
- BA _____
- JUBA _____
- DOCA _____

BRINCANDO

1 JOANA E JOSUÉ QUEREM ORGANIZAR UM CAMPEONATO DE **JOGO DA VELHA**. VAMOS AJUDÁ-LOS A COMPLETAR AS REGRAS DO JOGO?

A) COM A AJUDA DO PROFESSOR, LEIA AS REGRAS.

B) COMPLETE OS ESPAÇOS COM AS PALAVRAS DO QUADRO DE FORMA A FAZER SENTIDO.

> JOGO   JOGAR   JOGADOR   JOGADORES

JOGO DA VELHA

- PARTICIPANTES: 2.
- MATERIAL: PAPEL E LÁPIS DE COR.

COMO _____

1. OS JOGADORES DESENHAM 2 LINHAS DE PÉ E 2 DEITADAS, FORMANDO 9 CASAS.

2. CADA _____ ESCOLHE UM DOS SÍMBOLOS.

3. UM DE CADA VEZ, OS _____ VÃO MARCANDO AS CASAS COM SEU SÍMBOLO.

4. VENCE O _____ QUEM COMPLETA UMA FILEIRA DE TRÊS CASAS COM SEU SÍMBOLO (EM PÉ, DEITADA OU NA DIAGONAL).

TEXTO

ACOMPANHE A LEITURA DO PROFESSOR.

VIREI UM LEÃO!

MÁSCARA DE PAPEL

NÍVEL DE DIFICULDADE

CRIANÇA POR SI SÓ JÁ É AQUELA FESTA: ALEGRIA, CRIATIVIDADE E ANIMAÇÃO! FANTASIAR AS CRIANÇAS É UMA DAS COISAS MAIS DIVERTIDAS DE FAZER, ALÉM DE ELAS ADORAREM. UMA OPÇÃO BACANA É CRIAR MÁSCARAS, COMO ESTA DE LEÃO.

VOCÊ VAI PRECISAR DE:

- 1 PRATO DE PAPEL DESCARTÁVEL BRANCO;
- 1 CARTOLINA MARROM;
- 1 CANUDO DE PAPEL OU PALITO;
- PAPEL SANFONADO DE FESTA;
- COLA QUENTE;
- TESOURA [SEM PONTA].

MODO DE FAZER:

CORTE UM LADO DO PRATO, CRIANDO A BASE DA MÁSCARA. DEPOIS, MARQUE O LUGAR DOS OLHOS E RECORTE.

PEGUE A CARTOLINA MARROM E RECORTE O FOCINHO E DOIS TRIÂNGULOS PARA AS ORELHAS.

VIRE O PRATO E AOS POUCOS PASSE COLA QUENTE PARA FIXAR O PAPEL SANFONADO EM TODA A VOLTA.

VIRE NOVAMENTE O PRATO E GRUDE O FOCINHO E AS ORELHAS. COLE O CANUDO NA PARTE DE TRÁS DA MÁSCARA E PRONTO!

ESTÉFI MACHADO. *O LIVRO DA ESTÉFI: CRAFTS PARA FAZER EM FAMÍLIA*. SÃO PAULO: COMPANHIA DAS LETRINHAS, 2016. P. 42.

BRINCANDO COM O TEXTO

1 RESPONDA ORALMENTE:

A) O QUE O TEXTO ENSINA A FAZER?

B) EM QUE PARTE DO TEXTO HÁ UMA LISTA DOS MATERIAIS NECESSÁRIOS PARA FAZER A MÁSCARA?

C) EM QUE PARTE DO TEXTO HÁ ORIENTAÇÕES PARA FAZER A MONTAGEM?

D) DE ACORDO COM O NÍVEL DE DIFICULDADE INDICADO NO TEXTO, A CONFECÇÃO DA MÁSCARA É:

☐ MUITO FÁCIL. ☐ DIFÍCIL.

☐ FÁCIL. ☐ MUITO DIFÍCIL.

☐ MÉDIO.

2 ESCREVA NOS QUADRINHOS O NOME DO ANIMAL REPRESENTADO PELA MÁSCARA.

☐ ☐ ☐ ☐

CALIGRAFIA

LA, LE, LI, LO, LU

1 LEIA ESTAS SÍLABAS E COPIE-AS COM LETRA CURSIVA.

La *Le* *Li* *Lo* *Lu*

la *le* *li* *lo* *lu*

ATIVIDADES

1 COMPLETE AS PALAVRAS COM **LA**, **LE**, **LI**, **LO** OU **LU**.

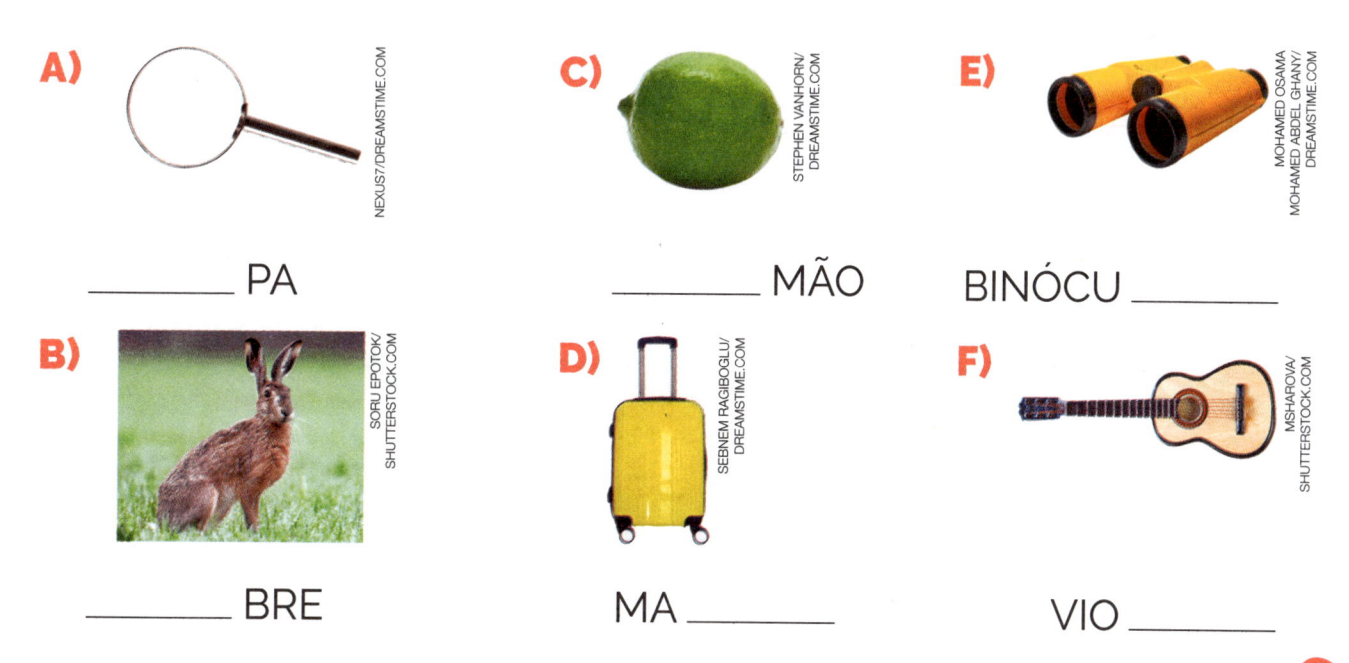

A) _____ PA

B) _____ BRE

C) _____ MÃO

D) MA _____

E) BINÓCU _____

F) VIO _____

2 LIGUE CADA PALAVRA À FIGURA QUE ELA NOMEIA.

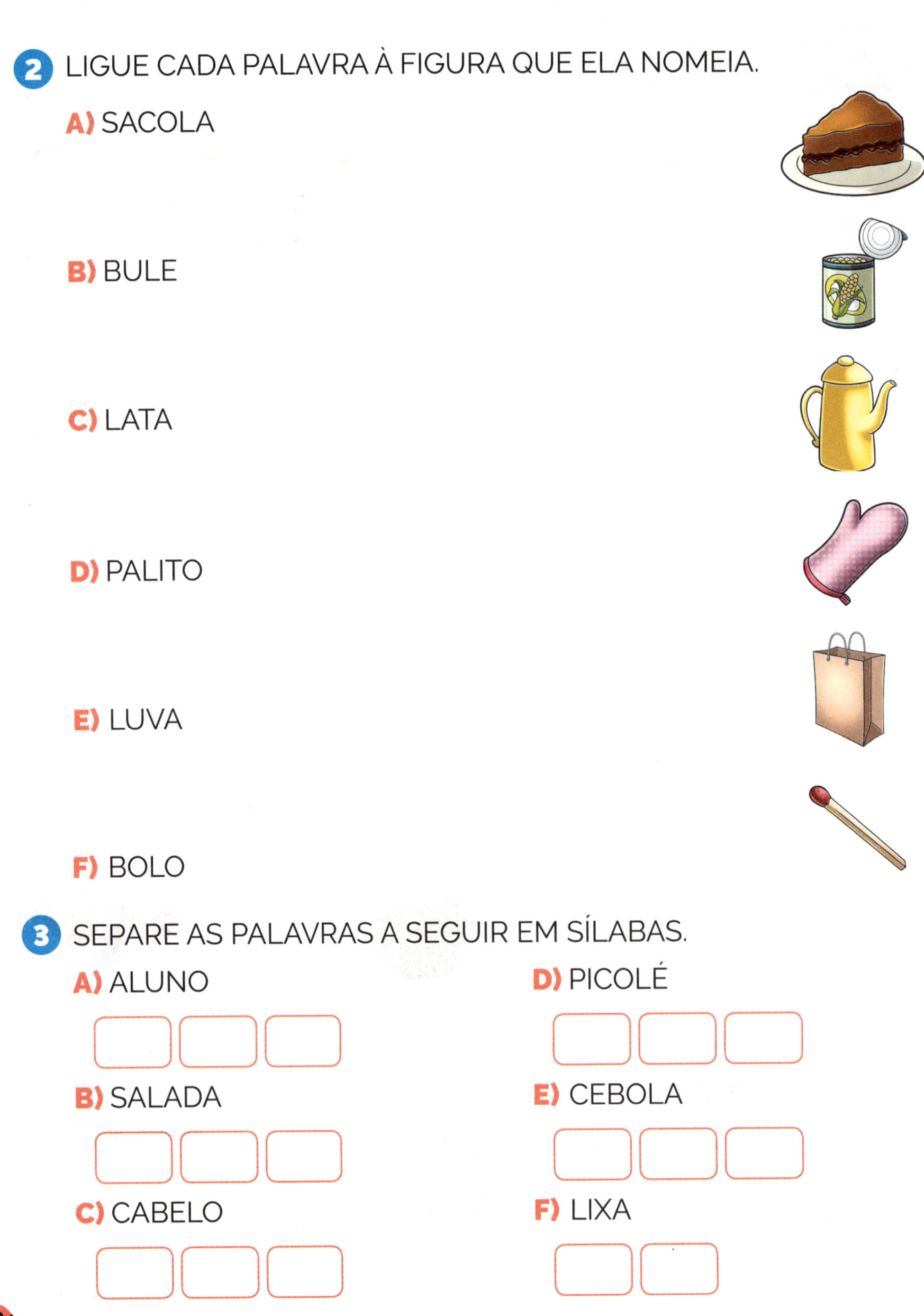

A) SACOLA

B) BULE

C) LATA

D) PALITO

E) LUVA

F) BOLO

3 SEPARE AS PALAVRAS A SEGUIR EM SÍLABAS.

A) ALUNO

B) SALADA

C) CABELO

D) PICOLÉ

E) CEBOLA

F) LIXA

4 ENCONTRE O NOME DAS FIGURAS NO DIAGRAMA DE PALAVRAS.

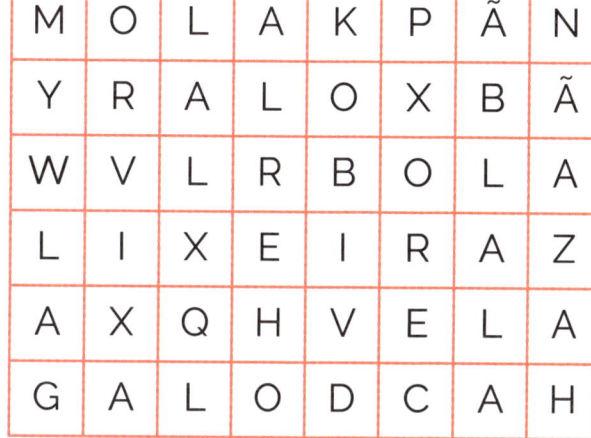

M	O	L	A	K	P	Ã	N
Y	R	A	L	O	X	B	Ã
W	V	L	R	B	O	L	A
L	I	X	E	I	R	A	Z
A	X	Q	H	V	E	L	A
G	A	L	O	D	C	A	H

BRINCANDO COM A CRIATIVIDADE

1 AGORA, VOCÊ VAI MONTAR UM **JOGO DA MEMÓRIA DOS ANIMAIS** PARA BRINCAR COM UM COLEGA.

1. NAS PÁGINAS **249** E **251**, COMPLETE OS PARES DE CARTAS ESCREVENDO O NOME DOS ANIMAIS EM LETRA CURSIVA.
2. DESTAQUE AS PÁGINAS E RECORTE AS CARTAS.
3. FORME UMA DUPLA COM UM COLEGA. EMBARALHEM AS CARTAS E COLOQUEM TODAS VIRADAS PARA BAIXO.
4. O PRIMEIRO JOGADOR VIRA DUAS CARTAS. SE FORMAR PAR, JOGA NOVAMENTE. SE NÃO FORMAR, PASSA A VEZ. O SEGUNDO JOGADOR FAZ A MESMA COISA.
5. VENCE O JOGO QUEM FORMAR O MAIOR NÚMERO DE PARES DE CARTAS.

BRINCANDO

1 OBSERVE AS FIGURAS. PINTE APENAS AQUELAS QUE TÊM O NOME INICIADO PELA LETRA **L**.

UNIDADE 13

TEXTO

O PROFESSOR VAI ENSINAR UMA CANTIGA. VOCÊ CONHECE ALGUMA CANTIGA? QUAL?

ACOMPANHE A LEITURA DO PROFESSOR.

DA ABÓBORA FAZ MELÃO
DO MELÃO FAZ MELANCIA
DA ABÓBORA FAZ MELÃO
DO MELÃO FAZ MELANCIA
FAZ DOCE, **SINHÁ**,
FAZ DOCE, SINHÁ,
FAZ DOCE, SINHÁ MARIA.

QUEM QUISER APRENDER A DANÇAR,
VAI NA CASA DO SEU JUQUINHA,
QUEM QUISER APRENDER A DANÇAR,
VAI NA CASA DO SEU JUQUINHA.
ELE PULA, ELE RODA
ELE FAZ **REQUEBRADINHA**.

CANTIGA.

GLOSSÁRIO

REQUEBRADINHA: MOVIMENTO DE REBOLAR.

SINHÁ: FORMA DE "SENHORA"; MODO PELO QUAL OS ESCRAVIZADOS TRATAVAM A PATROA.

BRINCANDO COM O TEXTO

1 RESPONDA ORALMENTE:

A) VOCÊ JÁ CONHECIA ESSA CANTIGA? JÁ BRINCOU DE RODA COM ELA?

B) AS CANTIGAS SÃO MÚSICAS CRIADAS HÁ MUITOS E MUITOS ANOS. QUE PALAVRA DESSA CANTIGA AJUDA A PERCEBER ISSO?

2 CIRCULE AS PALAVRAS DA CANTIGA INICIADAS PELA LETRA **M**.

CALIGRAFIA

MA, ME, MI, MO, MU

1 LEIA ESTAS SÍLABAS E COPIE-AS COM LETRA CURSIVA.

Ma   Me   Mi   Mo   Mu

ma   me   mi   mo   mu

2 COPIE COM LETRA CURSIVA DUAS PALAVRAS DO TEXTO DA PÁGINA **87** QUE COMEÇAM COM A LETRA **M**.

ATIVIDADES

1 LIGUE CADA PALAVRA À FIGURA QUE ELA NOMEIA.

A) MACACO

B) MEIA

C) MAPA

D) MULA

E) MORANGO

2 COMPLETE AS PALAVRAS COM **MA**, **ME**, **MI**, **MO** OU **MU**.

A) FOR _____ GA

B) AL _____ FADA

C) BER _____ DA

D) _____ CARRÃO

E) _____ CHILA

F) _____ LANCIA

3 MARQUE **X** NOS QUADRINHOS DAS FRUTAS QUE TÊM O NOME INICIADO PELA LETRA **M**.

4. SIGA O CÓDIGO PARA FORMAR PALAVRAS. ATENÇÃO ÀS FORMAS E ÀS CORES DOS SÍMBOLOS.

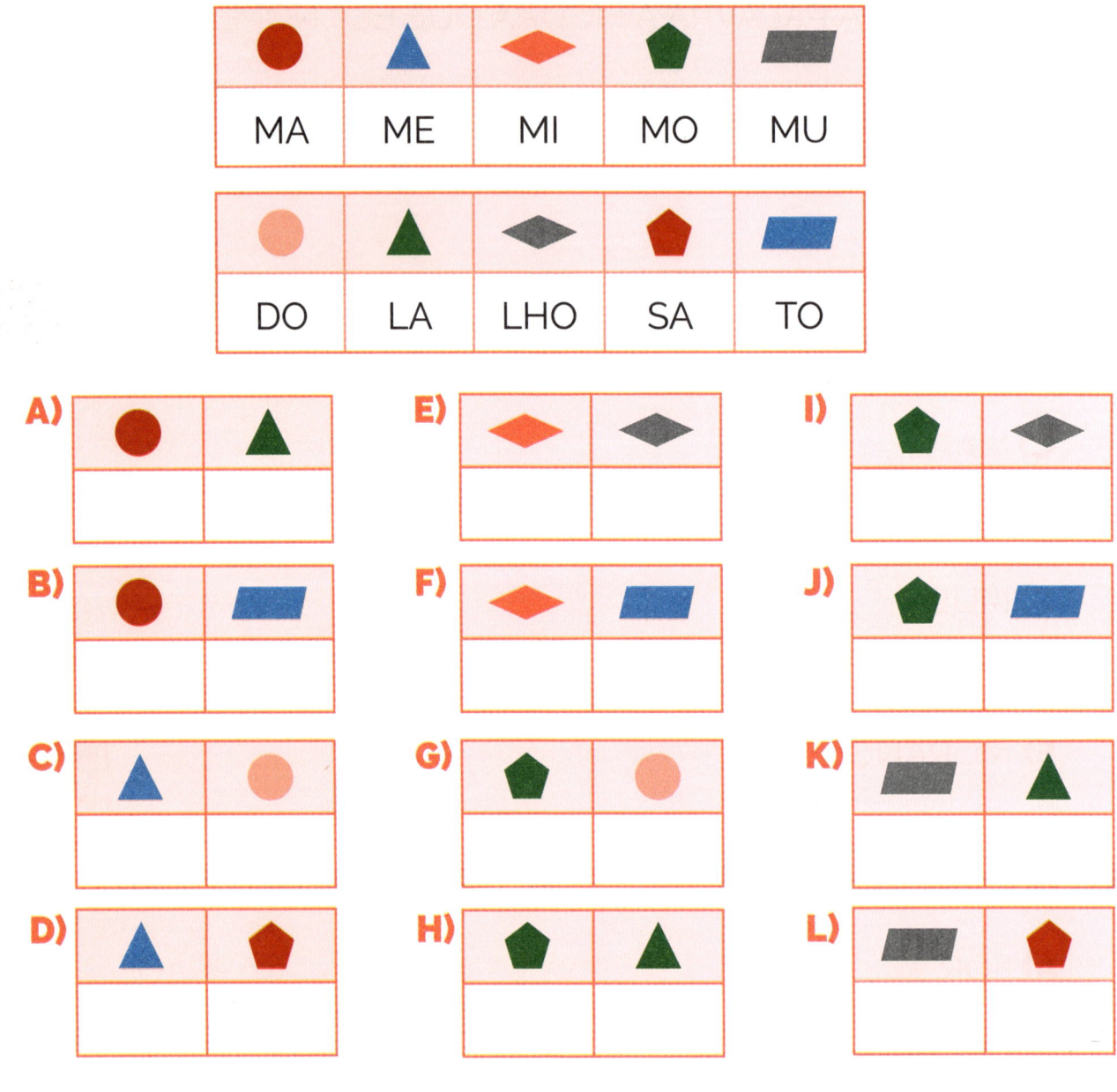

● (vermelho)	▲ (azul)	◆ (laranja)	⬠ (verde)	▬ (cinza)
MA	ME	MI	MO	MU

● (rosa)	▲ (verde)	◆ (cinza)	⬠ (vermelho)	▬ (azul)
DO	LA	LHO	SA	TO

A) ● (vermelho) ▲ (verde)

B) ● (vermelho) ▬ (azul)

C) ▲ (azul) ● (rosa)

D) ▲ (azul) ⬠ (vermelho)

E) ◆ (laranja) ◆ (cinza)

F) ◆ (laranja) ▬ (azul)

G) ⬠ (verde) ● (rosa)

H) ⬠ (verde) ▲ (verde)

I) ⬠ (verde) ◆ (cinza)

J) ⬠ (verde) ▬ (azul)

K) ▬ (cinza) ▲ (verde)

L) ▬ (cinza) ⬠ (vermelho)

5. LEIA EM VOZ ALTA AS PALAVRAS QUE VOCÊ FORMOU NA ATIVIDADE 4. ESCOLHA QUATRO DELAS E COPIE-AS COM LETRA CURSIVA.

A)

B)

C)

D)

BRINCANDO

1 ESCREVA EM CADA QUADRO A LETRA INICIAL DO NOME DA FIGURA.

VEJA QUE PALAVRA SE FORMOU E FAÇA UM DESENHO PARA REPRESENTÁ-LA.

A)

B)

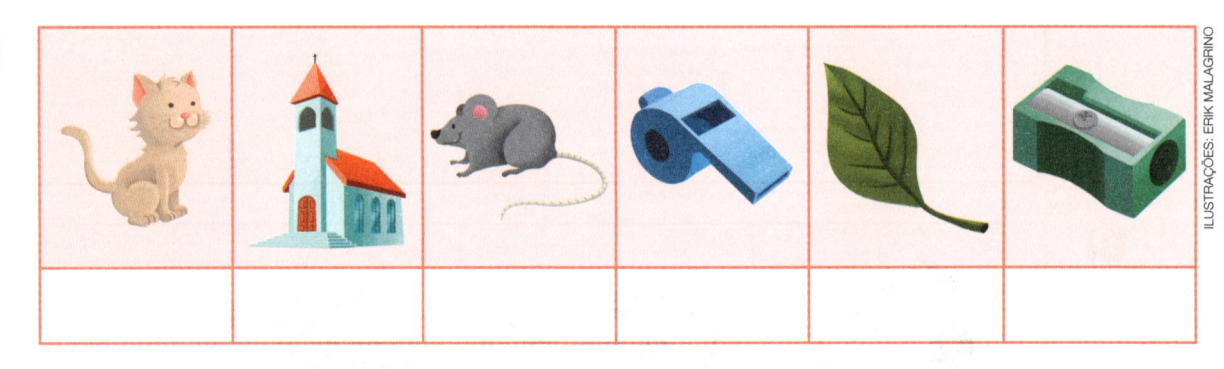

c)

UNIDADE 14

TEXTO

LEIA O TÍTULO DA CANTIGA. O QUE FAZ UM MARINHEIRO? ACOMPANHE A LEITURA DO PROFESSOR.

MARINHEIRO

MARINHEIRO, MARINHEIRO
MARINHEIRO SÓ
QUEM TE ENSINOU A NADAR?
MARINHEIRO SÓ
FOI O TOMBO DO NAVIO?
MARINHEIRO SÓ
OU FOI O BALANÇO DO MAR?

CANTIGA.

GLOSSÁRIO

MARINHEIRO: HOMEM QUE NAVEGA POR PROFISSÃO.

BRINCANDO COM O TEXTO

1 RESPONDA ORALMENTE:

A) QUAL É O NOME DA CANTIGA?

B) VOCÊ JÁ BRINCOU DE SER MARINHEIRO? SE SIM, CONTE AOS COLEGAS.

2 COM O ALFABETO MÓVEL, FORME A PALAVRA **NAVIO**. DEPOIS, ESCREVA-A COLOCANDO CADA LETRA EM UM QUADRINHO.

☐ ☐ ☐ ☐ ☐

3 EM UMA FOLHA AVULSA, DESENHE UM NAVIO. SE NUNCA VIU UM, DESENHE COMO VOCÊ ACHA QUE SEJA.

CALIGRAFIA

NA, NE, NI, NO, NU

1 LEIA ESTAS SÍLABAS E COPIE-AS EM LETRA CURSIVA.

Na   Ne   Ni   No   Nu

ma   me   mi   mo   mu

ATIVIDADES

1 COMPLETE AS PALAVRAS COM **NA**, **NE**, **NI**, **NO** OU **NU**.

A) SI _____

C) _____ NHO

E) CA _____ DO

B) _____ VIO

D) RABA _____ TE

F) CA _____ LA

2 ESCREVA COM LETRA CURSIVA O NOME DAS FIGURAS.

A)

B)

C)

D)

3 SEPARE AS PALAVRAS A SEGUIR EM SÍLABAS.

A) NETUNO

B) NOVE

C) BONITO

D) NATALINO

BRINCANDO

1 VAMOS BRINCAR COM ADIVINHAS?

A) QUE PALAVRA FALTA NA ADIVINHA A SEGUIR? DESCUBRA E COMPLETE-A.

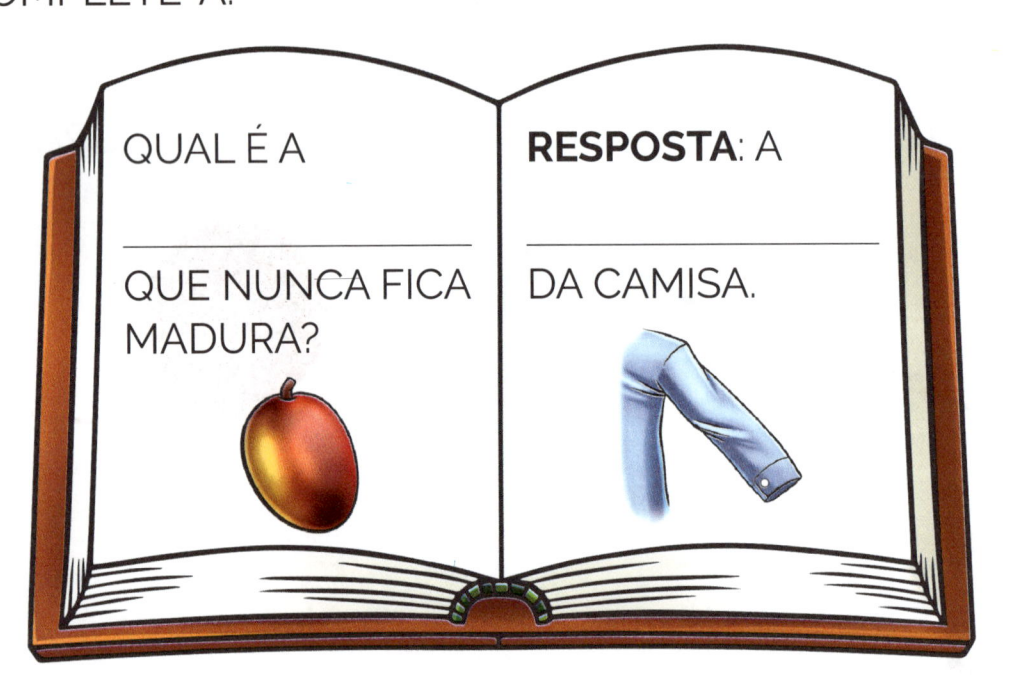

QUAL É A _____ QUE NUNCA FICA MADURA?

RESPOSTA: A _____ DA CAMISA.

B) DESCUBRA E ESCREVA A RESPOSTA DESTA OUTRA ADIVINHA!

UMA CASINHA COM DUAS JANELINHAS. SE OLHAS PARA ELA, FICAS ZAROLHO.

RESPOSTA:

UNIDADE 15

TEXTO

OBSERVE A PRIMEIRA LETRA DAS PALAVRAS DO TEXTO. O QUE VOCÊ PERCEBEU?
ACOMPANHE A LEITURA DO PROFESSOR.

ALFABETO DE HISTÓRIAS

[...]
O PINGUIM, DE PALETÓ E PÉ DE PATO, PARTIU DO POLO SUL E SE PERDEU PELO MAR.
ELE PRECISOU DE MUITA **PERÍCIA** PARA PILOTAR O SEU PEQUENO PEDAÇO DE GELO ATÉ ESSA PRAIA **PARADISÍACA**.
[...]

GILLES EDUAR. *ALFABETO DE HISTÓRIAS*. SÃO PAULO: ÁTICA, 2015. P. 34.

GLOSSÁRIO

PARADISÍACO: QUE LEMBRA O PARAÍSO; DELICIOSO, ENCANTADOR.
PERÍCIA: HABILIDADE, JEITO.

BRINCANDO COM O TEXTO

1 RESPONDA ORALMENTE:

A) DE ONDE O PINGUIM PARTIU E A QUE LUGAR CHEGOU?

B) COMO VOCÊ IMAGINA O LUGAR AONDE O PINGUIM CHEGOU? CONTE AOS COLEGAS.

C) O PINGUIM DO TEXTO VESTIA UM PALETÓ. POR QUE OS PINGUINS DO MUNDO REAL TAMBÉM PARECEM VESTIR CASACOS?

2 QUE PALAVRA DO TEXTO TEM O MESMO SENTIDO DE **HABILIDADE**, **JEITO**? ESCREVA-A A SEGUIR COLOCANDO UMA LETRA EM CADA QUADRINHO.

☐ ☐ ☐ ☐ ☐ ☐ ☐

CALIGRAFIA

PA, PE, PI, PO, PU

1 LEIA ESTAS SÍLABAS E COPIE-AS COM LETRA CURSIVA.

Pa   Pe   Pi   Po   Pu

pa   pe   pi   po   pu

2 JUNTE AS SÍLABAS PARA FORMAR PALAVRAS E ESCREVA-AS NAS PAUTAS COM LETRA CURSIVA MINÚSCULA.

A) PA | NE | LA

B) PE | TE | CA

C) PI | RU | LI | TO

D) PO | MA | DA

E) PU | DIM

ATIVIDADES

1 MARQUE COM UM **X** O NOME DAS FIGURAS.

A)
☐ PICOLÉ
☐ PICOTE

B)
☐ PAPAIA
☐ PAPAGAIO

C)
☐ PANO
☐ PENA

99

2 LIGUE CADA PALAVRA À FIGURA QUE ELA NOMEIA.

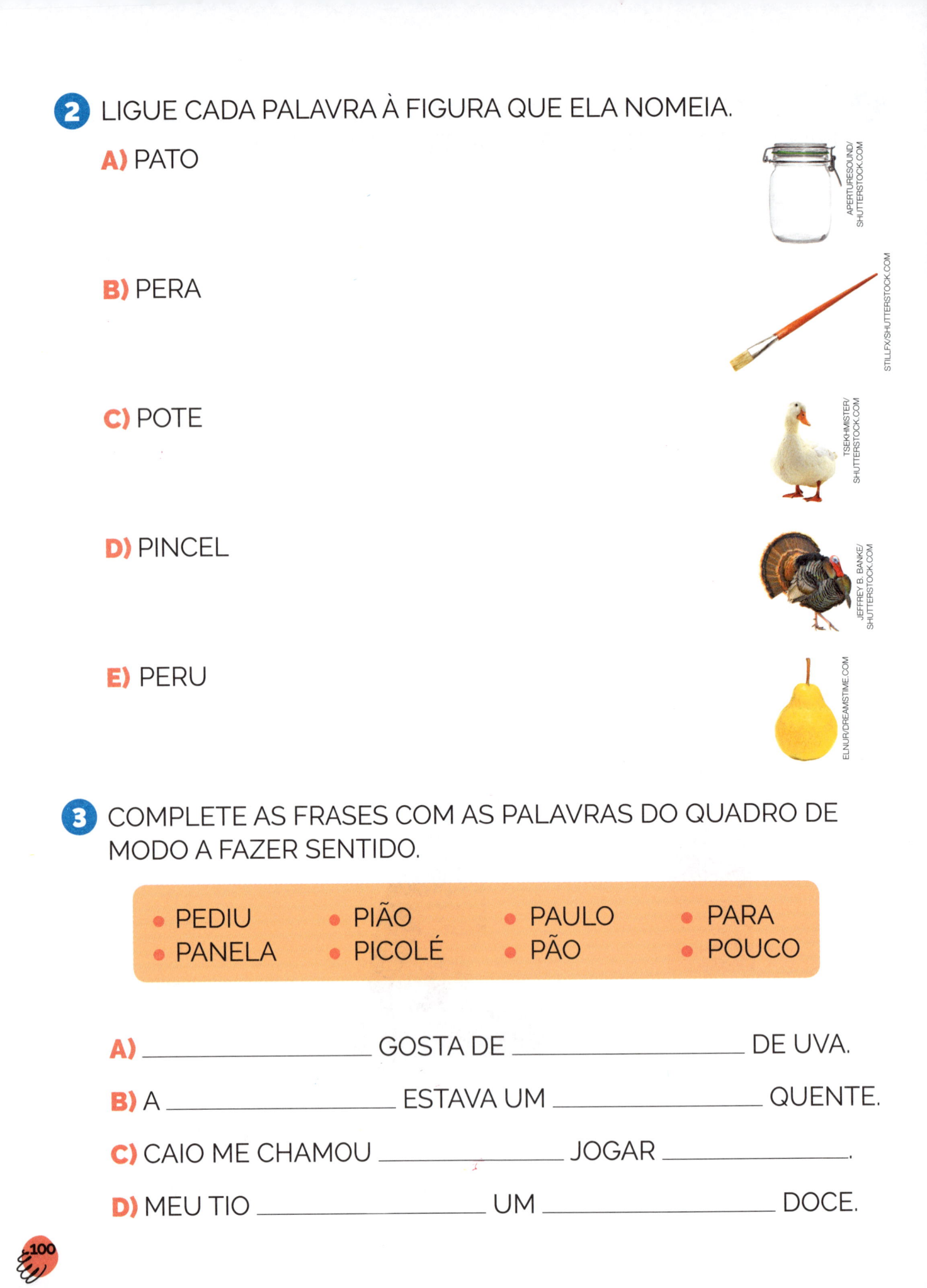

A) PATO

B) PERA

C) POTE

D) PINCEL

E) PERU

3 COMPLETE AS FRASES COM AS PALAVRAS DO QUADRO DE MODO A FAZER SENTIDO.

- PEDIU
- PIÃO
- PAULO
- PARA
- PANELA
- PICOLÉ
- PÃO
- POUCO

A) _____ GOSTA DE _____ DE UVA.

B) A _____ ESTAVA UM _____ QUENTE.

C) CAIO ME CHAMOU _____ JOGAR _____.

D) MEU TIO _____ UM _____ DOCE.

BRINCANDO

1 VOCÊ SE LEMBRA DO TEXTO SOBRE O PINGUIM? CHEGOU A HORA DE MOSTRAR À TURMA A "PRAIA PARADISÍACA" QUE VOCÊ IMAGINOU.

1. DESENHE A PRAIA NO QUADRO ABAIXO. LEMBRE-SE DA DESCRIÇÃO QUE VOCÊ FEZ AOS COLEGAS.
2. SE QUISER, INCLUA TAMBÉM O PINGUIM. O QUE SERÁ QUE ELE FOI FAZER NA PRAIA?
3. DEPOIS DE PINTAR O DESENHO, RECORTE-O E ENTREGUE-O AO PROFESSOR. ELE FARÁ UMA EXPOSIÇÃO COM OS TRABALHOS DA TURMA.

BRINCANDO COM A CRIATIVIDADE

1 LEIA COM O PROFESSOR A FICHA DE INFORMAÇÕES SOBRE OS PINGUINS, QUE ESTÁ INCOMPLETA.

2 COMPLETE-A COM AS PALAVRAS DO QUADRO.

- PEIXES
- PODE
- PENAS
- POLO
- PARA
- PEDRAS

PINGUIM

- AVE MARINHA QUE VIVE PRINCIPALMENTE NO _____ SUL.
- SEU CORPO É COBERTO DE _____ CURTAS PRETAS E BRANCAS (E, ÀS VEZES, AMARELAS).
- TEM ASAS, MAS NÃO VOA. É ÓTIMO NADADOR, CORRE MUITO RÁPIDO E _____ DESLIZAR SOBRE A BARRIGA PARA SE DESLOCAR NO GELO.
- ALIMENTA-SE SOBRETUDO DE _____ PEQUENOS E CRUSTÁCEOS.
- OS PINGUINS CONSTROEM SEUS NINHOS EM _____ OU EM BURACOS CAVADOS POR ELES. A FÊMEA BOTA 1 OU 2 OVOS DE CADA VEZ.
- O MACHO E A FÊMEA SE REVEZAM PARA CHOCAR OS OVOS E BUSCAR ALIMENTOS _____ OS FILHOTES.

PEQUENO CIDADÃO

TIPOS DE LETRA

ALÉM DAS LETRAS E DOS NÚMEROS QUE VOCÊ PODE VER NESTE LIVRO, HÁ OUTROS TIPOS QUE COSTUMAM SER UTILIZADOS PARA ESCREVER EM DIVERSOS EQUIPAMENTOS ELETRÔNICOS.

VEJA ABAIXO ALGUNS TIPOS DE LETRA MUITO COMUNS.

A E I O U

a e i o u

A E I O U

A E I O U

A E I O U

1 CONVERSE COM OS COLEGAS SOBRE AS QUESTÕES A SEGUIR.

A) DOS TIPOS DE LETRA ACIMA, QUAL VOCÊ ACHA MAIS FÁCIL DE LER?

B) VOCÊ JÁ TINHA VISTO ESSES TIPOS DE LETRA EM ALGUM LUGAR?

C) DE QUAL TIPO DE LETRA VOCÊ MAIS GOSTOU? TENTE ESCREVER AS VOGAIS COM ELAS.

D) EM SUA OPINIÃO, HÁ LETRAS MAIS BONITAS OU MAIS FÁCEIS DE ESCREVER QUE OUTRAS?

UNIDADE 16

TEXTO

VEJA O ANÚNCIO PUBLICITÁRIO REPRODUZIDO DE UM *OUTDOOR*, CARTAZ DE GRANDE DIMENSÃO COLOCADO EM ALGUMAS VIAS MOVIMENTADAS. O QUE VOCÊ ACHA QUE ESTÁ ESCRITO? ACOMPANHE A LEITURA.

A RUA É PÚBLICA, NÃO É PRIVADA.

FONTE: PREFEITURA DE BARUERI, SÃO PAULO.

BRINCANDO COM O TEXTO

1 RESPONDA ÀS QUESTÕES.

A) O QUE SIGNIFICA DIZER QUE A RUA É PÚBLICA?
_____
_____

B) QUAIS SENTIDOS DA PALAVRA **PRIVADA** VOCÊ CONHECE?
_____
_____

C) EM QUE SENTIDO A PALAVRA **PRIVADA** FOI USADA NO ANÚNCIO PUBLICITÁRIO?
_____
_____
_____
_____

2 COPIE DO ANÚNCIO PUBLICITÁRIO A PALAVRA QUE COMEÇA COM **RA**, **RE**, **RI**, **RO** OU **RU**.
_____

3 O OBJETIVO DO ANÚNCIO PUBLICITÁRIO É:

☐ DIZER QUE OS ENTULHOS DEVEM SER JOGADOS NA PRIVADA.

☐ INFORMAR ÀS PESSOAS QUE A RUA É PÚBLICA.

☐ CONSCIENTIZAR AS PESSOAS A NÃO DESCARTAR ENTULHOS E CACARECOS NA RUA.

CALIGRAFIA

RA, RE, RI, RO, RU

1 LEIA ESTAS SÍLABAS E COPIE-AS COM LETRA CURSIVA.

Ra   Re   Ri   Ro   Ru

ra   re   ri   ro   ru

ATIVIDADES

1 VOCÊ CONHECE ESTE TRAVA-LÍNGUA? COMPLETE-O COM AS PALAVRAS DO QUADRO.

- ROMA
- ROUPA
- RATO
- REI

O _____ ROEU

A _____

DO _____

DE _____ .

2 DECIFRE O CÓDIGO E ESCREVA AS PALAVRAS SUBSTITUINDO CADA FIGURA PELA SÍLABA CORRESPONDENTE A ELA.

A)  🌰 TOEIRA ⟶ _____

B)  ⏰ CADO ⟶ _____

C)  😄 COTA ⟶ _____

D)  🧽 LETA ⟶ _____

E)  💎 GIDO ⟶ _____

3 CUBRA O TRACEJADO PARA ESCREVER O NOME DAS FIGURAS.

A) ralador

B) regador

C) rosa

D) ruiva

4 ENCONTRE NO DIAGRAMA AS PALAVRAS QUE NOMEIAM AS FIGURAS A SEGUIR. DICA: TODAS COMEÇAM COM **R**.

M	C	R	A	Q	U	E	T	E	X	P
R	E	P	O	L	H	O	D	D	W	V
F	Ã	R	O	M	Ã	C	R	O	B	I
W	B	S	I	R	O	B	Ô	S	Ã	X
É	R	Á	D	I	O	Z	F	A	M	O
R	I	N	O	C	E	R	O	N	T	E

5 COMPLETE AS FRASES COM AS PALAVRAS ENCONTRADAS NO DIAGRAMA.

A) A _____ TEM MUITA VITAMINA A.

B) RUTE ADORA BRINCAR COM SEU _____.

C) RAFAEL ESQUECEU A _____ NO VESTIÁRIO.

D) VOCÊ PREFERE O _____ ROXO OU O BRANCO?

E) O _____ PODE VIVER ATÉ 50 ANOS.

F) RICARDO PREFERE OUVIR MÚSICAS NO _____.

BRINCANDO COM A CRIATIVIDADE

CARTAZ

NO INÍCIO DESTA UNIDADE, VOCÊ LEU UM ANÚNCIO PUBLICITÁRIO PARA CONSCIENTIZAR AS PESSOAS A NÃO JOGAREM ENTULHOS NAS RUAS.

AGORA, PENSE COM SEUS COLEGAS SOBRE A RUA ONDE FICA LOCALIZADA A ESCOLA. SERÁ QUE ELA TAMBÉM PRECISA DE ALGUM CUIDADO?

PLANEJAR

1. OBSERVEM COMO ESTÁ A RUA DA ESCOLA. COMO ELA É? O QUE EXISTE NELA? AS PESSOAS PODEM CAMINHAR TRANQUILAMENTE PELA RUA? UM CADEIRANTE CONSEGUE TRANSITAR PELAS CALÇADAS? HÁ PLACAS DE SINALIZAÇÃO? HÁ FAIXAS DE PEDESTRES?
2. CONVERSE COM OS COLEGAS SOBRE UM PROBLEMA QUE VOCÊS PERCEBERAM NA RUA QUE PODERIA SER RESOLVIDO COM A AJUDA DA COMUNIDADE ESCOLAR (VOCÊ, OS COLEGAS, PROFESSORES, DEMAIS FUNCIONÁRIOS DA ESCOLA E FAMILIARES).

PRODUZIR

1. COM A AJUDA DO PROFESSOR, ELABOREM UM CARTAZ PARA PEDIR A AJUDA DA COMUNIDADE ESCOLAR NA SOLUÇÃO DESSE PROBLEMA.
2. ESCREVAM O CARTAZ COM LETRAS GRANDES PARA CHAMAR A ATENÇÃO DE QUEM ESTÁ PASSANDO. VOCÊS PODEM COLAR OU DESENHAR NELE.
3. COPIEM NO CADERNO O CARTAZ QUE VOCÊS PRODUZIRAM.

COMPARTILHAR

1. COLOQUEM O CARTAZ EM UM LOCAL DA ESCOLA ONDE TODOS POSSAM VER.

UNIDADE 17

TEXTO

OBSERVE A FORMA DO TEXTO. VOCÊ ACHA QUE VAI LER UM POEMA? ACOMPANHE A LEITURA DO PROFESSOR.

VOVÔ SAPO

VOVÔ SAPO E SUA NETA
PEGARAM A BICICLETA.

EIA! VAMOS! FORÇA! UPA!
PULA A NETA NA **GARUPA**.

[...]

VOVÔ SAPO SE CONCENTRA
DÁ UM PULO E LOGO SENTA

NO **SELIM** DA BICICLETA
COM UM AR DE GRANDE ATLETA.

NA ESQUINA ESTÁ A CIGARRA:
— PEDALA, VOVÔ, PEDALA!

[...]

SÉRGIO CAPPARELLI. *COME-VENTO*. PORTO ALEGRE: L&PM, 1987. P. 9.

GLOSSÁRIO

GARUPA: PARTE TRASEIRA DA BICICLETA, ONDE SE CARREGA PESSOA OU CARGA.

SELIM: ASSENTO DA BICICLETA.

BRINCANDO COM O TEXTO

1 RESPONDA ORALMENTE.

A) EM QUE PARTE DA BICICLETA O VOVÔ SAPO PULOU? E A NETA DELE?

B) QUE PALAVRAS O VOVÔ DISSE PARA ENCORAJAR A NETA A SUBIR NA BICICLETA?

C) E A CIGARRA, O QUE DISSE PARA ENCORAJAR O VOVÔ SAPO?

2 VOCÊ SABE ANDAR DE BICICLETA? CONTE AOS COLEGAS.

3 CIRCULE NO POEMA TODAS AS OCORRÊNCIAS DA PALAVRA **SAPO**. QUANTAS VEZES A PALAVRA APARECE NO TEXTO?

☐ 1 VEZ   ☐ 2 VEZES   ☐ 3 VEZES

CALIGRAFIA

SA, SE, SI, SO, SU

1 LEIA ESTAS SÍLABAS E COPIE-AS COM LETRA CURSIVA.

Sa   Se   Si   So   Su

sa   se   si   so   su

2 COMPLETE AS PALAVRAS COM **SA**, **SE**, **SI**, **SO** OU **SU**. EM SEGUIDA, ESCREVA-AS COM LETRA CURSIVA.

A) _____ LADA

B) _____ GREDO

C) _____ LÊNCIO

D) _____ BREMESA

E) _____ CATA

3 FORME PALAVRAS JUNTANDO OS PEDAÇOS. ESCREVA-AS COM LETRA CURSIVA.

A) SA → PECA
SA → BUGO

B) SE → LO
SE → DA

C) SI → RENE
SI → NAL

ATIVIDADE

1 CUBRA O TRACEJADO PARA ESCREVER AS PALAVRAS. DEPOIS, LIGUE CADA UMA À FIGURA QUE ELA NOMEIA.

A) sacola

B) sucuri

C) seringa

D) sino

E) sorvete

F) secador

G) sopa

H) sabonete

BRINCANDO COM A CRIATIVIDADE

TRAVA-LÍNGUA

1 VAMOS BRINCAR COM MAIS UM TRAVA-LÍNGUA?

A) PRIMEIRO, DESCUBRA AS PALAVRAS QUE FALTAM E ESCREVA-AS.
DICA: ELAS APARECEM EM OUTRAS PARTES DO TEXTO!

OLHA O SAPO DENTRO DO _____

O SACO COM O _____ DENTRO

O SAPO BATENDO PAPO

E O _____ SOLTANDO VENTO.

TRAVA-LÍNGUA.

B) AGORA, DESAFIE OS COLEGAS A FALAR O TRAVA-LÍNGUA BEM DEPRESSA.

2 QUE TAL CRIAR UM TRAVA-LÍNGUA COM A TURMA?

PLANEJAR

1. USEM AS PALAVRAS DOS SACOS PARA FORMAR UMA FRASE ENGRAÇADA.

SAPO
SUCURI
SAIU
SALA
SOLA

SIMONE
SIBILOU
SAGUI
SEM
SAPATO

SERVIU
SUCO
SOPA
SUMIU
SELVA

PRODUZIR

1. O PROFESSOR AJUDARÁ A MONTAR O TRAVA-LÍNGUA NA LOUSA.

2. COPIE O TRAVA-LÍNGUA CRIADO PELA TURMA. DEPOIS, FAÇA UM DESENHO BEM ENGRAÇADO PARA ILUSTRAR O TEXTO.

_____

_____

_____

_____

COMPARTILHAR

1. AGORA, O ÚLTIMO DESAFIO: QUEM VAI CONSEGUIR DIZER MAIS DEPRESSA O TRAVA-LÍNGUA DA TURMA?

UNIDADE 18

TEXTO

Observe a imagem. Você sabe que animal está representado nela? Acompanhe a leitura do professor.

TATU-BOLA-DO-NORDESTE

Nome científico: *Tolypeutes tricinctus*.
Nome popular: tatu-bola-do-nordeste.
Tamanho: cerca de 50 centímetros de comprimento.
Onde é encontrado: no norte da Bahia.
Hábitat: caatinga.
Motivo da busca: animal ameaçado de extinção.

O pequeno tatu

O tatu-bola-do-nordeste é o menor tatu existente no Brasil. Seu nome científico, ou seja, como ele é conhecido pelos cientistas, é *Tolypeutes tricinctus*. Os tatus, juntamente com as preguiças e os tamanduás, formam o grupo dos edentatas, ou "desdentados", que ocorrem exclusivamente no continente americano.

O tatu-bola-do-nordeste é uma das espécies mais escassas e menos conhecidas dentre os edentatas. Por mais de 22 anos, este tatu esteve desaparecido, tendo sido considerado praticamente extinto. Entretanto, em 1989, alguns pesquisadores da Fundação Biodiversitas redescobriram este animal na região da caatinga no norte da Bahia.

Vários autores. *Procura-se!: galeria de animais ameaçados de extinção*. São Paulo: Companhia das Letrinhas, 2007. p. 56.

BRINCANDO COM O TEXTO

1 Responda às questões oralmente.

a) Qual é o nome popular do animal mostrado na imagem?

b) Que tamanho esse animal tem?

c) Onde ele é encontrado?

d) Esse animal está extinto ou ameaçado de extinção? Explique sua resposta.

2 Escolha duas palavras do texto que tenham as sílabas **ta**, **te**, **ti**, **to** ou **tu** e escreva-as abaixo.

_____

_____

CALIGRAFIA

Ta, te, ti, to, tu

1 Leia estas sílabas e copie-as com letra cursiva.

Ta   Te   Ti   To   Tu

ta   te   ti   to   tu

ATIVIDADES

1 Complete as palavras com **ta**, **te**, **ti**, **to** ou **tu**.

a) ba_____da   d) _____cano   g) _____me

b) cane_____   e) sapa_____   h) _____ca

c) api_____   f) fu_____bol   i) bo_____

2 Escreva o nome das imagens.

a) _____

b) _____

c) _____

d) _____

3 Separe as palavras a seguir em sílabas.

a) tela

b) tomada

c) telhado

d) título

e) batuta

f) tarefa

BRINCANDO COM AS LETRAS

Uso de letra maiúscula

Leia este trecho do poema "O buraco do tatu".

[...]

O tatu cava um buraco,
dia e noite, noite e dia,
quando sai pra descansar,
já está lá na Bahia.

[...]

Sérgio Capparelli. *Boi da cara preta*.
Porto Alegre: L&PM, 2013.

Ao escrever, usamos letras maiúsculas e minúsculas. A letra maiúscula é usada em três situações, descritas a seguir.

- No início de frases.

Exemplo:

> O tatu cava um buraco [...].

- No nome de pessoas, animais de estimação, bairros, cidades, estados, países, ruas, escolas.

Exemplos:
Bahia, Porto Alegre, Sérgio Capparelli, Totó, Recife, Alagoas, Brasil, Rua Paraná, Escola Paulo Freire.

- Na primeira palavra do nome de livros, filmes, jornais, revistas.

Exemplos:
Boi da cara preta, Divertida Mente, Recreio.

ATIVIDADES

1 Acompanhe a leitura do trecho de uma história.

Com a ponta dos dedos e os olhos do coração

Fernando acordou atrasado. Lavou o rosto com pressa e escovou os dentes sem muito cuidado. Já era tarde...

A mãe havia saído para o trabalho e a Vó Bisa arrastava os chinelos na sala, aguando os vasinhos de violeta.

Fernando sabia que precisava correr.

Encontrou o café sobre a mesa e saiu mastigando o pão com margarina.

– Tchau, Vó Bisa, até o almoço.

[...]

Leila Rentroia Iannone. *Com a ponta dos dedos e os olhos do coração.*
São Paulo: Editora do Brasil, 2015. p. 7.

a) Circule no texto as palavras iniciadas com letra maiúscula que são nomes ou apelidos de pessoas.

b) Sublinhe no texto as palavras iniciadas com letra maiúscula que não são nomes de pessoas.

2 Complete o quadro com nomes observando a letra inicial pedida. Use letras maiúsculas quando necessário.

	Pessoa	Cidade	Objeto
B			
D			
P			
R			
T			

BRINCANDO COM A CRIATIVIDADE

Ficha de animal

No início desta unidade, você leu uma ficha informativa sobre o tatu-bola-do-nordeste.

Agora é sua vez de montar uma ficha parecida, com informações sobre outro **animal** brasileiro ameaçado de extinção.

Planejar

1. Para começar, reúna-se com um colega e decidam que animal vocês vão escolher para fazer a ficha. Para isso, vocês precisam saber, com a ajuda do professor, quais são os animais ameaçados de extinção.
2. Em seguida, também com a ajuda do professor, procurem informações sobre o animal escolhido. Vocês podem procurar em livros, revistas e *sites*.

Produzir

1. Copiem no caderno o modelo abaixo. Depois, completem com as informações pesquisadas.

Nome científico:	Nome popular:	Tamanho:	Onde é encontrado:	Hábitat:	Motivo da ameaça de extinção:

Reler, revisar e editar

1. Mostrem a ficha ao professor. Ele poderá fazer correções, se necessário.
2. Passem a ficha a limpo, em uma folha de papel sulfite, e colem a foto do animal que vocês pesquisaram.

Compartilhar

1. Afixem as folhas no mural da sala de aula ou da escola.

BRINCANDO

Você sabe brincar de "batata quente"? Vamos acrescentar um detalhe a essa brincadeira. Siga as instruções.

1. A turma se senta no chão da sala de aula formando uma roda.
2. Um jogador escolhido pelo grupo fica no centro da roda e de olhos fechados.
3. Ao sinal do professor, os alunos começam a passar uma bola de mão em mão cantando "batata quente, quente, quente...".
4. Enquanto a bola passa de mão em mão, o jogador que está no centro da roda pode gritar, a qualquer momento, "queimou!".
5. Quem estiver com a bola nesse momento fala uma palavra iniciada pela letra **t** e troca de lugar com o colega do centro da roda. A brincadeira recomeça.

UNIDADE 19

A TEXTO

Observe o desenho do cartaz. O que ele mostra? Acompanhe a leitura do professor.

VACINAÇÃO VIROU PROGRAMA FAMÍLIA

SÁBADO - 9 DE AGOSTO

Leve as crianças com menos de 5 anos para tomar a vacina contra a **PARALISIA INFANTIL**.
E se você tem entre 20 e 39 anos vacine-se contra a **RUBÉOLA**.

Não esqueça de levar o cartão de vacinação e o documento de identidade.

www.saude.gov.br
DISQUE SAÚDE 0800 61 1997

Campanha de vacinação, Ministério da Saúde.

BRINCANDO COM O TEXTO

1 Responda às questões oralmente.

a) O que é um "programa família"?

b) Em sua opinião, por que a vacinação foi chamada de "programa família"?

c) O que os personagens do cartaz representam?

d) Você se lembra de alguma vez em que foi tomar vacina? Conte para os colegas e para o professor.

CALIGRAFIA

Va, ve, vi, vo, vu

1 Leia estas sílabas e copie-as com letra cursiva.

Va   Ve   Vi   Vo   Vu

va   ve   vi   vo   vu

2 Copie do cartaz da página 124 três palavras que começam com a letra **v**.

ATIVIDADES

1 Circule as palavras iniciadas com a letra **v**.

vaca	volume	semente	vitória
felicidade	bermuda	carteira	velocidade
palhaço	jogo	revista	estojo

2 Pinte as sílabas que formam o nome de cada figura. Depois, escreva a palavra formada.

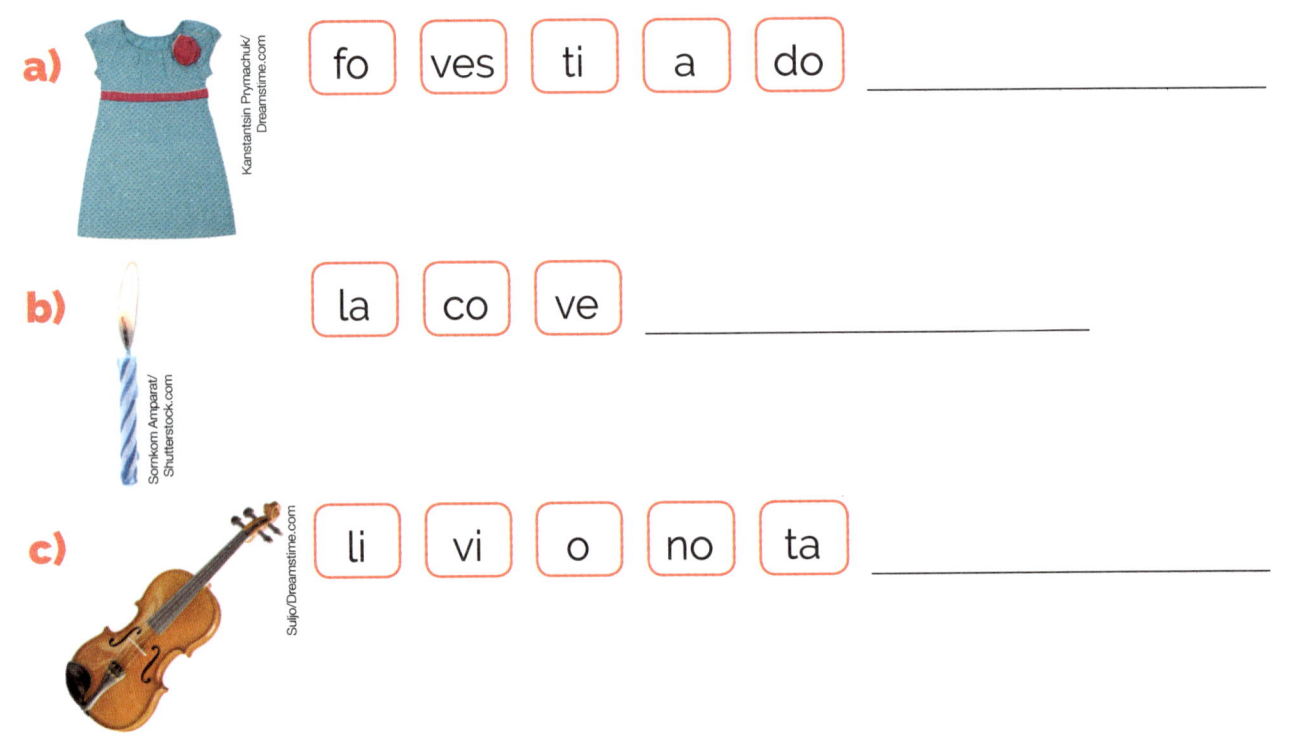

a) fo | ves | ti | a | do _____

b) la | co | ve _____

c) li | vi | o | no | ta _____

3 Complete as palavras com a letra **v** maiúscula ou minúscula.

a) ____era foi ____isitar a madrinha.

b) ____amos à praia no ____erão.

c) ____inícius ____ai sempre ao teatro com os pais.

d) ____alentina ____oltou de ____ila Rica, em Mato Grosso.

BRINCANDO

1 Decifre as adivinhas.

a) Observe atentamente as figuras. Cada uma é a resposta a uma das adivinhas abaixo.

b) Leia as adivinhas e descubra as respostas. Escreva-as nos espaços adequados.

O que é, o que é:
Só pode ser usado depois de quebrado?

Resposta: _____.

O que é, o que é:
Água dura, com quatro letras?

Resposta: _____.

O que é, o que é:
Mal entra em casa, põe-se logo na janela?

Resposta: _____.

O que é, o que é:
Que só anda com as pernas atrás das orelhas?

Resposta: _____.

2 Agora, crie sua própria adivinha, em que a resposta seja o nome da imagem.

UNIDADE 20

A TEXTO

Veja a ilustração. Do que você acha que o texto vai tratar? Acompanhe a leitura do professor.

Zebrinha

Coitada da zebra!
é tão pobrezinha,
só tem uma roupa,
a coitadinha!
Dorme de pijama,
pijama de listrinha,
e passa dias inteiros
vestida de pijaminha.
Que tal a gente se juntar
e fazer uma vaquinha
pra comprar pra zebrinha
vestido de bolinha?

Wania Amarante. Zebrinha. *In*: Wania Amarante. *Cobras e lagartos*. São Paulo: FTD, 2011. p. 49.

BRINCANDO COM O TEXTO

1 Responda às questões oralmente.

a) Por que o poema diz que a zebra passa dias inteiros vestida de pijaminha?

b) No contexto do poema, o que é uma "vaquinha"?

c) Que ideia o poema dá para ajudar a zebra a variar a roupa?

2 Circule no poema as palavras escritas com a letra **z** e copie-as.

_____

_____

3 Crie um nome para a zebra iniciado pela letra **z** e escreva-o.

_____

4 Ordene as letras e escreva as palavras.

a) a m a p i j _____

b) p u o r a _____

c) b a r e z _____

CALIGRAFIA

Za, ze, zi, zo, zu

1 Leia estas sílabas e copie-as com letra cursiva.

za   ze   zi   zo   zu

za   ze   zi   zo   zu

ATIVIDADES

1 Complete as palavras com **za**, **ze**, **zi**, **zo** ou **zu**.

a) co_____nha

b) _____lador

c) a_____lejo

d) _____ológico

e) _____bumba

f) de_____na

2 Junte as sílabas e forme palavras.

a) zan | ga | do

_____

b) ze | ro

_____

c) zo | ei | ra

_____

d) a | zu | lão

_____

3 Recorte de jornais e revistas palavras com as sílabas **za**, **ze**, **zi**, **zo**, **zu** e cole-as no quadro a seguir.

4 Encontre as palavras do quadro no diagrama. Depois, copie-as nas linhas.

buzina • azedo • doze • vazio

B	U	Z	I	N	A	Z
F	D	A	Z	E	D	O
J	V	A	Z	I	O	Z
V	E	D	O	Z	E	S

5 Complete as frases com as palavras do quadro de modo que elas façam sentido. Fique atento ao uso das letras maiúsculas.

azeitona • Zeca • batizado • zíper • Zizi

a) O _____ do vestido está quebrado.

b) Vô _____ adora _____.

c) Hoje é o _____ de _____.

BRINCANDO

1 Você já brincou com várias adivinhas. Desta vez, seu desafio será decifrar a resposta da adivinha a seguir e representá-la com um desenho!

O que é, o que é:
Na hora de dormir,
Não vai para a cama,
Mas nunca tira o pijama?

Resposta: _____.

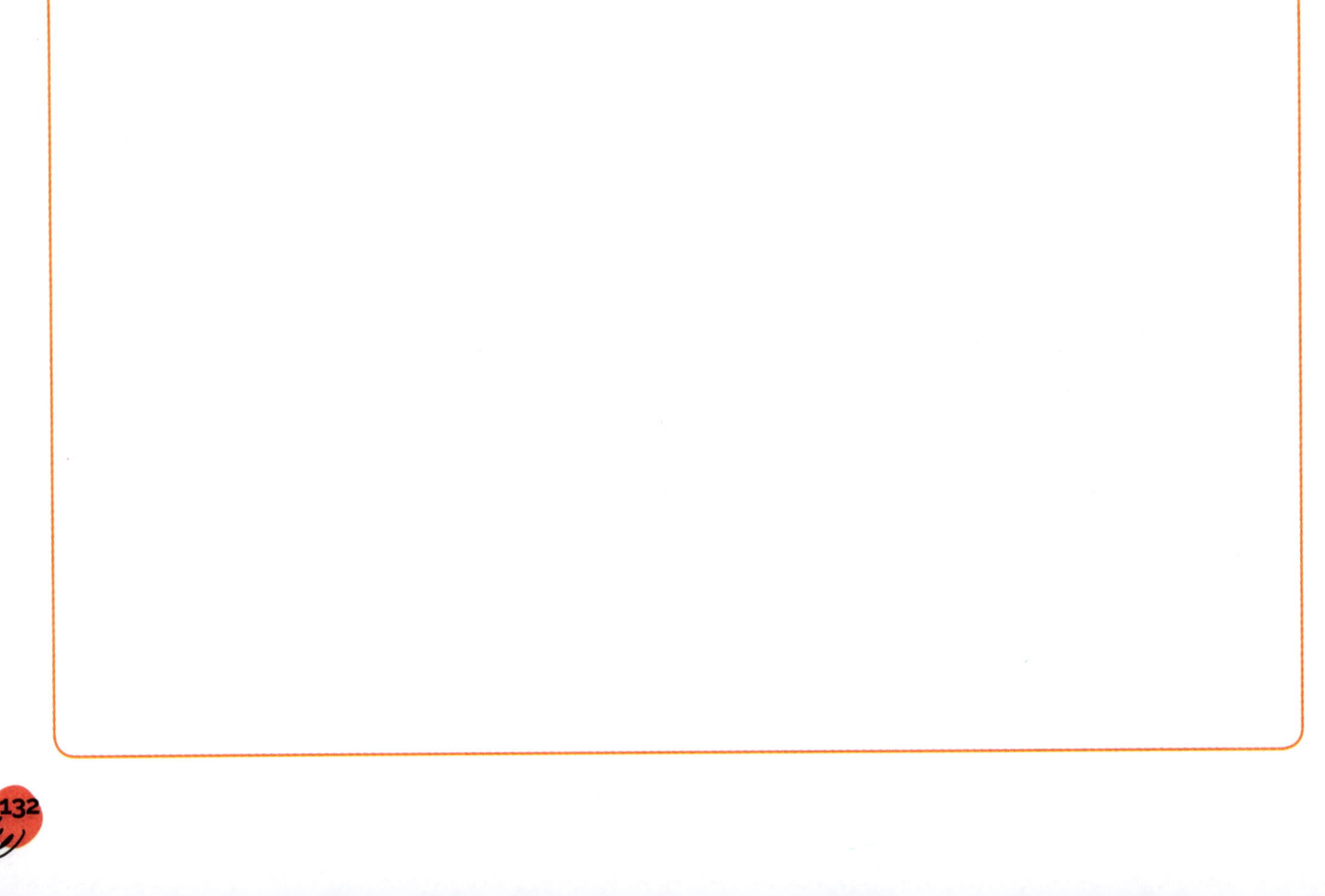

BRINCANDO COM A CRIATIVIDADE

História coletiva

Planejar

1. Para começar, observe esta imagem com atenção e responda às questões oralmente.

a) Quem são os personagens da história?

b) O que eles estão fazendo?

c) O que, provavelmente, acontecerá em seguida?

d) Observe a letra **z** no balão de fala sobre os personagens. O que você acha que a letra representa nesse contexto?

Produzir

1. Com a ajuda do professor, você e todos os colegas da turma criarão uma história com base nessa imagem. Para isso, lembrem-se das informações da atividade anterior.
2. Para concluir, criem um título para a história. Escreva-o no caderno.

Reler e revisar

1. Copie, no caderno, o texto que o professor registrou.

Compartilhar

1. Conte a história para pessoas da sua família.

UNIDADE 21

TEXTO 1

Leia o título do texto e observe a ilustração. Você imagina que história vai ser contada? Quem parece estar apostando uma corrida?

Acompanhe a leitura do professor.

Corrida aborrecida

Dois caracóis
apostaram uma corrida.

– Puxa vida!

Foram subindo
pela parede do meu quarto.

– Coisa de lagarto!

O rodapé
foi a linha de partida.

– E tinha torcida?

Lá no teto
era a linha de chegada.

– Parece até piada!

Eles se arrastaram
meio centímetro por hora.

– Mas que demora!
[...]

Claudio Fragata. *Balaio de bichos.* São Paulo: DCL, 2005. p. 20.

BRINCANDO COM O TEXTO

1 Responda às questões oralmente.

a) O poema se chama "Corrida aborrecida". O que quer dizer **aborrecido**?

b) Quem são os participantes da corrida do poema?

c) Por que essa corrida pode ser considerada "aborrecida"?

d) Como você imagina que a corrida acabará?

2 Circule no texto as palavras escritas com **ce** ou **ci**.

CALIGRAFIA

Ce, ci

1 Leia estas sílabas e copie-as com letra cursiva.

Ce Ci

ce ci

ATIVIDADES

1 Complete as palavras com **ce** ou **ci**.

a) capa_____te

b) poli_____al

c) va_____na

d) _____noura

e) _____mento

f) _____gonha

2 Ligue cada palavra à figura que ela nomeia.

a) cenoura

b) morcego

c) cereja

d) bicicleta

e) tecido

f) cigarra

3 Escreva as palavras da atividade 2 no diagrama colocando uma letra em cada quadrinho. Atenção: uma palavra ficará "de pé"!

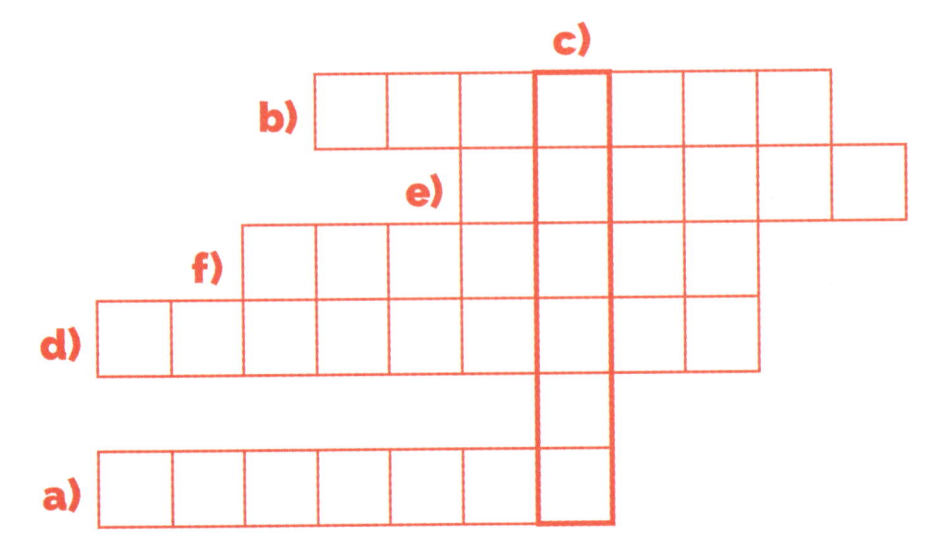

TEXTO 2

Você conhece o animal da ilustração? Acompanhe a leitura do professor.

Preguiça

Eu fui à Amazônia
E dei uma risada,
Pois vi a preguiça
Cruzando a estrada.

No chão se arrastava,
Um bicho engraçado,
Que esforço fazia
Pra ir ao outro lado.

Que desengonçada,
Que unhas gigantes!
[...]

César Obeid e Guataçara Monteiro. *Cores da Amazônia*. São Paulo: Editora do Brasil, 2015. p. 28.

BRINCANDO COM O TEXTO

1) Responda às questões oralmente.
   a) Você já viu um bicho-preguiça? Em caso positivo, conte a experiência para os colegas.
   b) Se visse a cena descrita no poema, você também daria risada? Por quê?

2) Circule no poema as palavras que têm a letra **ç**.

CALIGRAFIA

Ça, ço, çu

1 Leia estas sílabas e copie-as com letra cursiva.

çaço çu

> O sinal que aparece abaixo da letra **c** nessas sílabas chama-se **cedilha**. Com ele formamos o **cê-cedilha**. Na língua portuguesa, nenhuma palavra é iniciada com cê-cedilha.

ATIVIDADES

1 Complete as palavras com **ça**, **ço** ou **çu**. Depois, copie-as com letra cursiva.

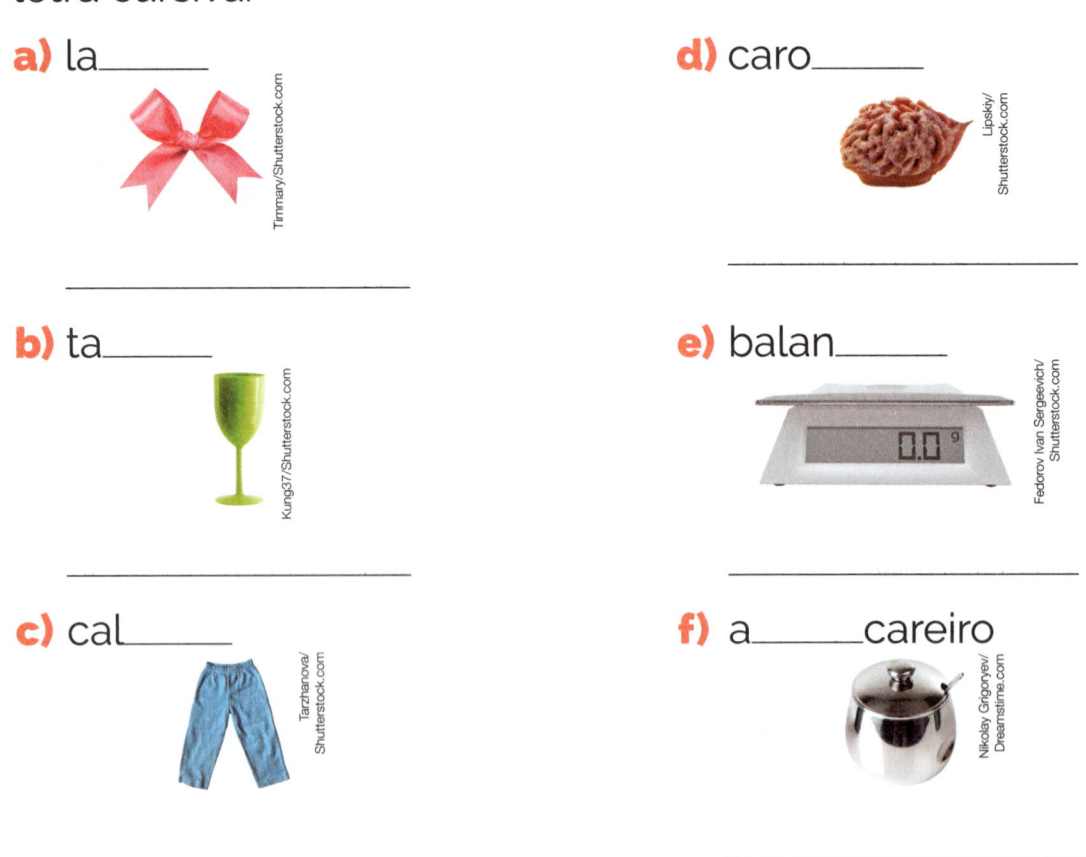

a) la_____

b) ta_____

c) cal_____

d) caro_____

e) balan_____

f) a_____careiro

2 Complete as frases com as palavras do quadro.

- cigarra
- Ciça
- paçoca
- graça
- trança
- caçula
- laço
- soluço

a) Célia prendeu a _____ com um _____.

b) Meu irmão _____ estava com _____.

c) _____ fez uma deliciosa _____.

d) A _____ cantando é uma _____.

3 Siga a ordem numérica para organizar as sílabas e formar palavras. Escreva-as nos espaços ao lado.

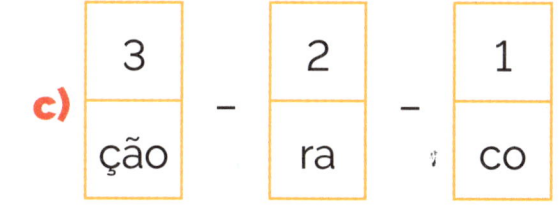

a) | 2 | - | 1 |
   |---|---|---|
   | ça | | lou |

b) | 2 | - | 3 | - | 1 |
   |---|---|---|---|---|
   | ta | | ção | | lo |

c) | 3 | - | 2 | - | 1 |
   |---|---|---|---|---|
   | ção | | ra | | co |

4 Em cada item, marque com um **X** a palavra que o professor ditar.

a) ☐ percevejo   ☐ percebido

b) ☐ lição   ☐ loção

c) ☐ cilada   ☐ cinema

BRINCANDO

1 Desvende o enigma da palavra misteriosa seguindo as pistas de nosso detetive! Preste atenção nas instruções.

1. Leia atentamente a lista de palavras no quadro abaixo.
2. A cada pista, risque as palavras da lista que não se encaixam na descrição.
3. Ao descobrir a palavra misteriosa, represente-a com um desenho no quadro ao final da página.
4. Compare seu desenho com o dos colegas: vocês chegaram à mesma conclusão?

Leia as dicas.
- Não é nome de gente.
- Não começa por vogal.
- Não tem acento.
- Tem mais de duas sílabas.
- Termina com a letra **e**.
- Tem duas vezes a letra **c**.

acerola	Cibele
acetona	cinema
capacete	face
cebola	felicidade
Cecília	macio
Célia	oceano
célula	recibo
cera	você

Resposta: _____

2 Nesta brincadeira, você e os colegas imitarão uma centopeia, para participar de uma corrida que não vai ser nada aborrecida!

1. Com a ajuda do professor, definam o ponto de partida e o ponto de chegada da corrida e organizem-se em três grupos.
2. Os participantes de cada grupo formam uma fila no ponto de partida. Em seguida, agacham e enlaçam a cintura do colega da frente com as mãos.
3. Ao sinal do professor, os grupos começam a se deslocar movimentando-se como uma centopeia. Não é permitido soltar a cintura do colega da frente.
4. Vence o grupo que atingir primeiro a linha de chegada.
5. O grupo que chegar por último deve falar três palavras com **ce**, **ci**, **ça**, **ço** ou **çu**.

BRINCANDO COM A CRIATIVIDADE

Curiosidades sobre animais

Nesta unidade, você leu dois poemas sobre animais, o caracol e a preguiça. O que você sabe sobre eles? Vamos escrever curiosidades sobre esses animais?

Planejar

1. O professor vai organizar a turma em dois grupos.
2. Um grupo vai falar do caracol, e o outro da preguiça.
3. Com a ajuda do professor, vocês devem pesquisar uma curiosidade bem interessante sobre esses animais em livros e *sites*.

Produzir

1. Escreva no caderno uma descoberta que você fez depois da pesquisa.

Revisar e editar

1. Mostre o texto com a descoberta ao professor. Ele poderá fazer correções, se necessário.
2. Faça as correções necessárias e passe a limpo nas linhas a seguir.

_____
_____
_____
_____
_____

Compartilhar

1. Leia para os colegas a curiosidade que você escreveu.

UNIDADE 22

A TEXTO

Observe a fotografia. O que ela mostra?
Acompanhe a leitura da notícia.

www.opovo.com.br/noticias/mundo/2020/03/11/cacadores-matam-duas-das-ultimas-tres-girafas-brancas-do-mundo.html

Caçadores matam duas das últimas três girafas brancas do mundo

Ambientalistas acreditam que, após ação de caçadores, exista apenas uma girafa branca no mundo. Guardas florestais encontraram a carcaça da fêmea e do filhote em um vilarejo [...] de Garissa, no nordeste do Quênia. A existência de girafas brancas teve **repercussão** em 2017 após serem fotografadas. [...]

Guardas florestais encontraram a carcaça de uma fêmea e seu filhote em um vilarejo no nordeste do Quênia.

Handout / Ishaqbini Hirola Community Conservancy / AFP

De acordo com o chefe da Preservação Comunitária do Quênia, Ishaqbini Hirola, Mohammed Ahmednoor, as duas girafas encontradas mortas teriam sido vistas pela última vez há três meses. "Seu assassinato é um golpe para os importantes passos dados pela comunidade para preservar espécies raras e únicas e um alerta para o apoio contínuo aos esforços de preservação", afirmou.

[...]

> **GLOSSÁRIO**
>
> **Ambientalista:** pessoa que se dedica à preservação e à conservação do meio ambiente.
>
> **Repercussão:** consequência, efeito de determinada ação ou situação.

Caçadores matam duas das últimas três girafas brancas do mundo. *O Povo*, Fortaleza, 11 mar. 2020. Disponível em: www.opovo.com.br/noticias/mundo/2020/03/11/cacadores-matam-duas-das-ultimas-tres-girafas-brancas-do-mundo.html. Acesso em: 30 abr. 2020.

BRINCANDO COM O TEXTO

1 Responda oralmente às questões.

a) O que a fotografia mostra?

b) Por que as girafas viraram notícia?

c) Onde isso aconteceu?

d) Quando as girafas foram fotografadas?

2 Copie a legenda da foto que acompanha a notícia.

_____
_____
_____
_____

BRINCANDO COM AS LETRAS

Ge, gi

1 Complete as palavras com **ge** ou **gi**. Depois, copie-as.

a) ____rassol ⟶ _____

b) ____lo ⟶ _____

c) ____gante ⟶ _____

d) ru____do ⟶ _____

ATIVIDADES

1 Descubra as palavras juntando as sílabas e escreva-as nas linhas.

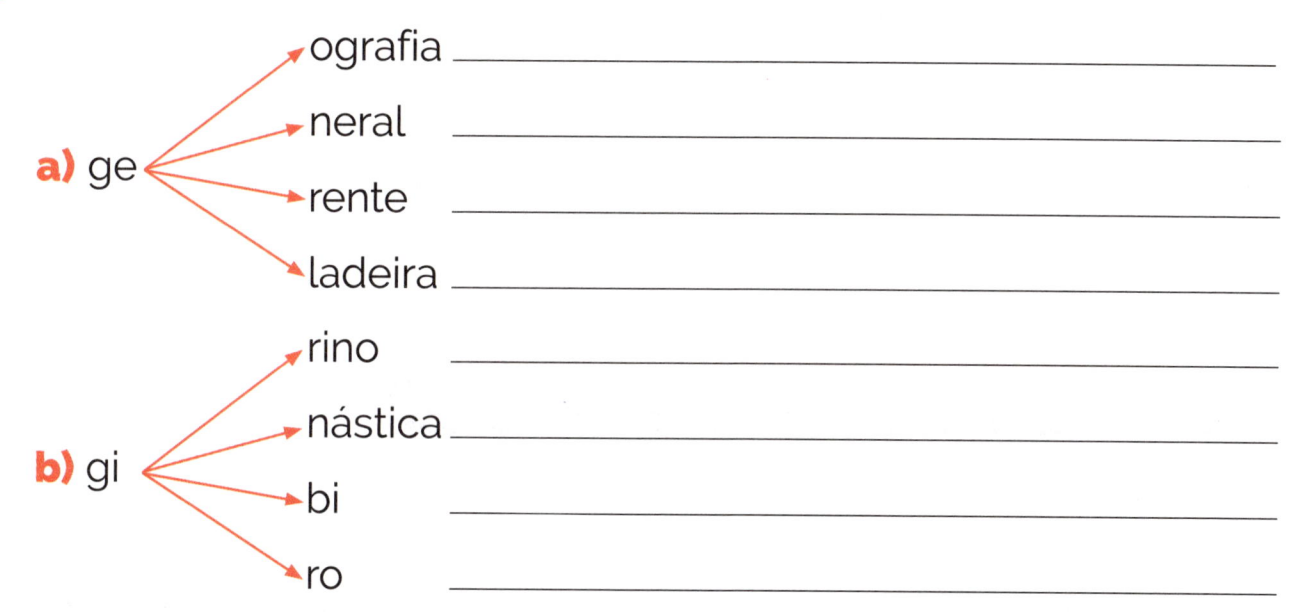

a) ge
- ografia _____
- neral _____
- rente _____
- ladeira _____

b) gi
- rino _____
- nástica _____
- bi _____
- ro _____

2 Separe em sílabas as palavras da atividade 1 nos quadrinhos seguindo a ordem em que elas aparecem. Pinte os quadrinhos que você não usar.

a)

b)

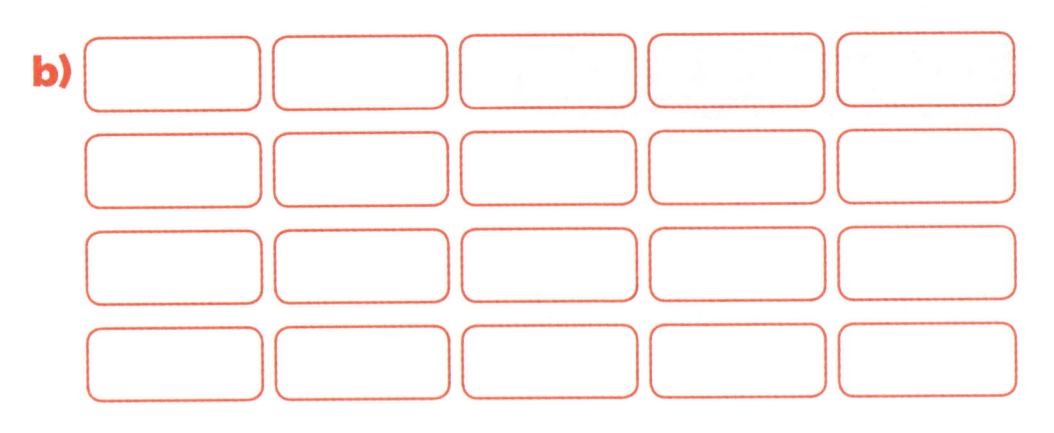

[empty grid of boxes]

3 Complete as frases com informações sobre as palavras das atividades 1 e 2.

a) A palavra com o maior número de sílabas é _____.

b) As palavra com o menor número de sílabas são _____ e _____.

c) As palavras que têm três sílabas são _____, _____ e _____.

BRINCANDO COM A CRIATIVIDADE

Fotolegenda

Fotolegenda é um texto explicativo sobre o que é mostrado em uma imagem. Vamos escrever uma fotolegenda?

Planejar

1. Reúna-se com um colega.
2. O professor vai ler a notícia da próxima página.

Produzir

1. Depois de ouvir a notícia, com seu colega, criem uma fotolegenda para ela.
2. Escrevam um rascunho da fotolegenda no caderno.

www.jornaljoca.com.br/premio-de-fotografias-malucas-de-animais-divulga-vencedores

13 de novembro de 2019
MALUQUICES

Prêmio de fotografias malucas de animais divulga vencedores

Dentre as 8 mil imagens inscritas no concurso, quatro foram selecionadas.

O concurso Comedy Wildlife Photography Awards (Prêmios de Fotografia de Comédia da Vida Selvagem, em inglês), que premia fotografias malucas de animais selvagens, divulgou os vencedores da edição de 2019 no dia 13 de novembro. A competição recebeu cerca de 8 mil fotos, de 68 países diferentes, e chegou a 40 finalistas antes de escolher quem ganharia.

[...]

Escolha do público e animais aquáticos

A foto de Harry Walker foi escolhida como a preferida do público. Seu nome é *Oh my!*, que seria algo como "oh, céus!" em português.

[...]

Oh my ("oh, céus", em tradução livre).

Prêmio de fotografias malucas de animais divulga vencedores. *Jornal Joca*, São Paulo, 13 nov. 2019. Disponível em: www.jornaljoca.com.br/premio-de-fotografias-malucas-de-animais-divulga-vencedores. Acesso em: 30 abr. 2020.

Reler e revisar

1. Mostrem ao professor a fotolegenda que vocês produziram. Ele poderá fazer indicações para melhorar o texto ou corrigi-lo.

2. Voltem à notícia e escrevam sua fotolegenda abaixo da imagem.

Compartilhar

1. Uma dupla de cada vez poderá ler sua fotolegenda para a turma.

UNIDADE 23

TEXTO

O texto que o professor vai ler fala de um animal chamado esquilo. O que você já sabe sobre esse animal? Escute a leitura com atenção.

Esquilo

O esquilo comum é um roedor que costuma viver em florestas de pinheiros ou outras árvores que lhe proporcionem alimento: nozes, pinhões, brotos etc. O esquilo comum é avermelhado, tem uma cauda longa e pequenas penugens nas orelhas. Ele **armazena** comida para o inverno.

Esquilo-voador

É um roedor noturno que pode **planar** entre os galhos das árvores graças a uma membrana de pele com pelo que se estende entre suas extremidades anteriores e posteriores. Ele tem uma cauda longa e nivelada que utiliza para manter o equilíbrio no voo.

O esquilo-voador pode planar entre árvores distantes mais de 50 metros. Um deles chegou a planar a 450 metros de altura.

Maria José Valero. *Leia uma por dia: 365 curiosidades sobre animais*. Barueri, SP: Girassol, 2005. p. 23.

GLOSSÁRIO

Armazenar: guardar.
Planar: voar sem mover as asas.

BRINCANDO COM O TEXTO

1 Escreva o nome de cada espécie de esquilo.

_____   _____

2 Complete os itens com informações sobre o esquilo comum.

Cor: _____.

Cauda: _____.

3 Responda de acordo com o texto.

a) Onde vive o esquilo comum?

_____

_____

b) Do que o esquilo comum se alimenta?

_____

4 Que hábito do esquilo comum é citado no texto?

☐ O esquilo comum tem pequenas penugens nas orelhas.

☐ O esquilo comum armazena comida para o inverno.

☐ O esquilo comum pode planar.

5 Ouça as informações que o professor vai ler e pinte a resposta.

> É um roedor noturno. Pode planar entre os galhos das árvores.

- Essas características se referem ao:

☐ esquilo comum.   ☐ esquilo-voador.

6 Por que o esquilo-voador consegue planar? Sublinhe a resposta.

a) Porque é um roedor noturno.

b) Porque vive em florestas.

c) Porque tem partes do corpo que lhe permitem fazer isso.

CALIGRAFIA

Qua, quo, que, qui

1 Leia estas sílabas e copie-as com letra cursiva.

Qua Quo

que qui

ATIVIDADES

1 Pinte os quadros que têm palavras com **qua**, **quo**, **que** ou **qui**.

aquoso	líquido	máquina	ventilador
atividade	querido	truque	colorido
quiosque	palavra	formiga	quadrado

2 Complete as palavras com **qua**, **quo**, **que** ou **qui**. Em seguida, ligue cada palavra à figura que ela nomeia.

a) ja_____ta

b) _____be

c) ra_____te

d) _____mono

e) _____dro

3 Leia as palavras e marque com um **X** as que o professor ditar.

a) ☐ aquário
☐ aquarela
☐ aquático

b) ☐ esquisito
☐ quilo
☐ esquilo

c) ☐ quati
☐ quartel
☐ quarto

4 Em cada item, pinte apenas a palavra que nomeia a figura.

a) quadro / quadra
quati / quatro

c) quilo / quibe
quieto / quiabo

b) queixo / queima
queijo / queixa

d) aquarela / aquário
aquariana / aquático

5 Pesquise em jornais e revistas seis palavras com **qua**, **quo**, **que** ou **qui**. Escreva-as no caderno.

BRINCANDO

Receita

1 Leia a receita de panquecas de banana-da-terra.

2 Complete o "Como fazer" com as palavras do quadro.

> liquidificador   Descasque   panqueca   pique

Panquecas de banana-da-terra

Ingredientes
- 1 banana-da-terra bem madura;
- 1 xícara de farinha de aveia;
- 1 xícara de água;
- 1 pitada de canela;
- 1 colher de chá de fermento.

Para a cobertura
- Morangos ou outra fruta de sua preferência;
- mel a gosto.

Como fazer

1. _____ a banana e separe os demais ingredientes.

2. Bata tudo no _____.

3. Aqueça uma frigideira antiaderente, coloque uma concha da massa na frigideira e tampe-a. Espere um pouquinho e vire a _____.

4. Para a cobertura, _____ morangos ou outra fruta e espalhe-os sobre a panqueca. Finalize com o mel.

3 Vamos jogar "queimada"? Aprenda ou recorde as regras do jogo e organize-se com a turma para uma partida.

Participantes

- dois times com pelo menos dois jogadores cada.

Espaço e material

- quadra ou área livre com linha divisória (pode ser feita com fita adesiva colorida);
- 1 bola.

Como jogar

1. Cada time ocupa um dos lados da quadra ou área e não pode passar para o outro lado.
2. O professor sorteia o time que vai começar com a bola.
3. O time escolhe o primeiro jogador a lançar a bola. O objetivo é "queimar" (acertar com a bola) os jogadores do outro time e evitar ser "queimado" por eles.
4. Quando a bola passar para o outro lado da linha, será a vez do outro time.
5. Ao ser "queimado", o jogador deve sair do jogo.
6. Vence o time que for o primeiro a "queimar" todos os jogadores do outro time.

UNIDADE 24

A TEXTO 1

Leia o título do texto a seguir. O que você acha que é um buriti? Acompanhe a leitura do professor.

Buriti

Palmeira gigante
De folhas imensas;
Flores amarelas
Descansam suspensas.

"Palmeira-dos-brejos"
Também é chamada,
Pois só vive perto
De área alagada.

Seu fruto é vermelho,
Sua **polpa** é amarela,
As aves adoram
Comer o fruto dela.
Árvore generosa,
Dá frutos demais
Que alimentam homens
E os animais.

GLOSSÁRIO

Polpa: parte macia da fruta que geralmente pode ser comida.
Ribeirinho: pessoa que vive na área banhada por um rio.

A folha tem fibra
Que é tão resistente
E serve de telha
Pra casa da gente.

Também dá toalhas,
Brinquedos, peneiras,
Chapéus, cordas, móveis
Ou mesmo esteiras.

O tronco é presente
Até na construção
Para o **ribeirinho**
Ter habitação.

Do broto também
Se extrai um palmito,
Da polpa sai doce
E um creme bonito.

Além de dar suco
E dar sobremesa,
Também dá produtos
Pra nossa beleza.

Então eu já paro
O poema por aqui
E peço aplausos
Para o buriti.

César Obeid e Guataçara Monteiro. *Cores da Amazônia*. São Paulo: Editora do Brasil, 2015. p. 23.

BRINCANDO COM O TEXTO

1 Responda às questões oralmente.

a) Onde você mora tem buriti?

b) Você já experimentou doce ou suco de buriti? Se sim, conte para os colegas como foi a experiência.

2 Releia o poema para responder às perguntas.

a) Qual é a cor do fruto do buriti?

_____

b) De que cor é a polpa?

_____

3 Circule o objeto que não pode ser feito com partes do buriti.

a)   b)   c)   d)

4 Fale a palavra buriti em voz alta. Depois, faça um **X** nas palavras abaixo em que o **r** tem o mesmo som que na palavra buriti.

☐ buraco   ☐ burro   ☐ berro   ☐ beirada

5 Na palavra buriti, a letra **r** aparece entre as vogais **u** e **i**. Encontre no poema mais quatro palavras em que a letra **r** aparece entre duas vogais e copie-as.

_____

_____

_____

_____

ATIVIDADES

1 Vamos encontrar novas palavras dentro das palavras? Retire as letras indicadas e escreva a nova palavra ao lado.

a) mamadeira
- ~~ma~~madeira _____
- mama~~deira~~ _____
- ~~ma~~ma~~deira~~ _____

b) coração
- ~~c~~oração _____
- ~~c~~oração _____
- cora~~ção~~ _____

2 Junte as sílabas de cada folha e forme duas palavras que tenham a letra **r** entre vogais. Uma dica: você não precisa usar todas as sílabas na mesma palavra.

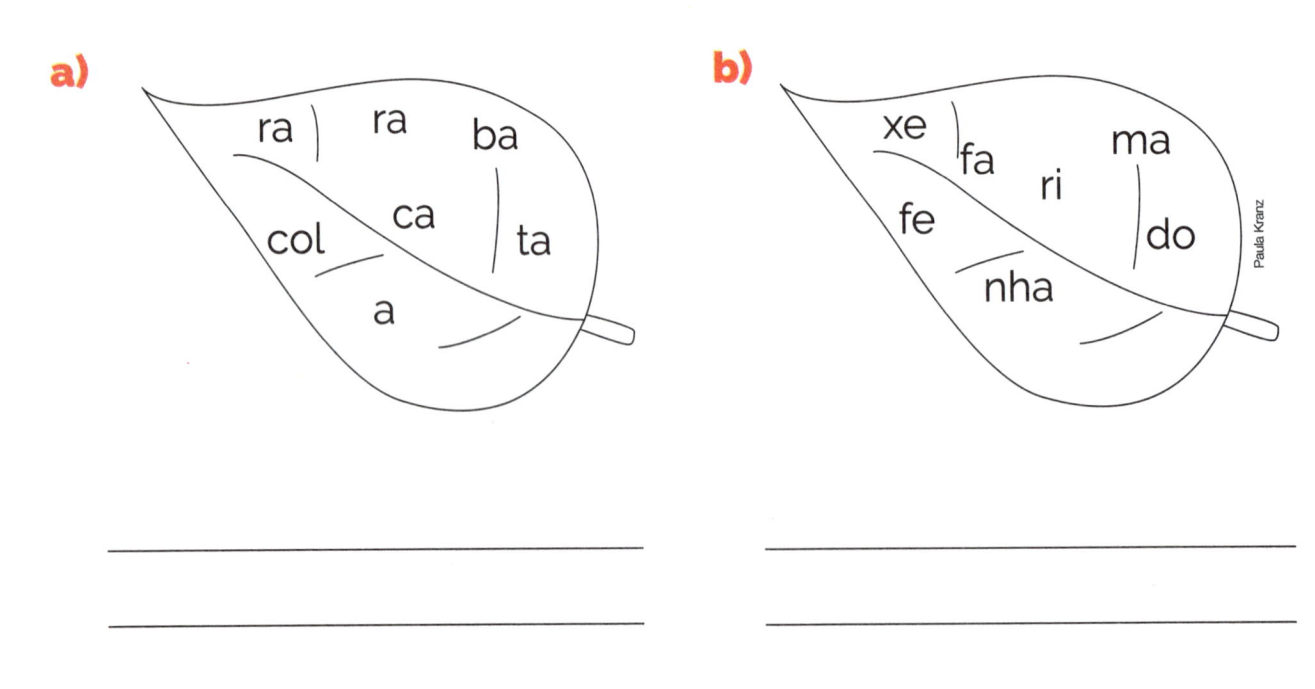

a) ra, ra, ba, col, ca, ta, a

b) xe, fa, ma, ri, fe, do, nha

_____
_____
_____

3 Escreva o nome das frutas.

a)
b)
c)
d)
e)
f)

CALIGRAFIA

Letra r

1 Leia estas frases e copie-as com letra cursiva.

a) Aurora adora amora.

b) A arara é colorida.

TEXTO 2

Acompanhe a leitura do professor.

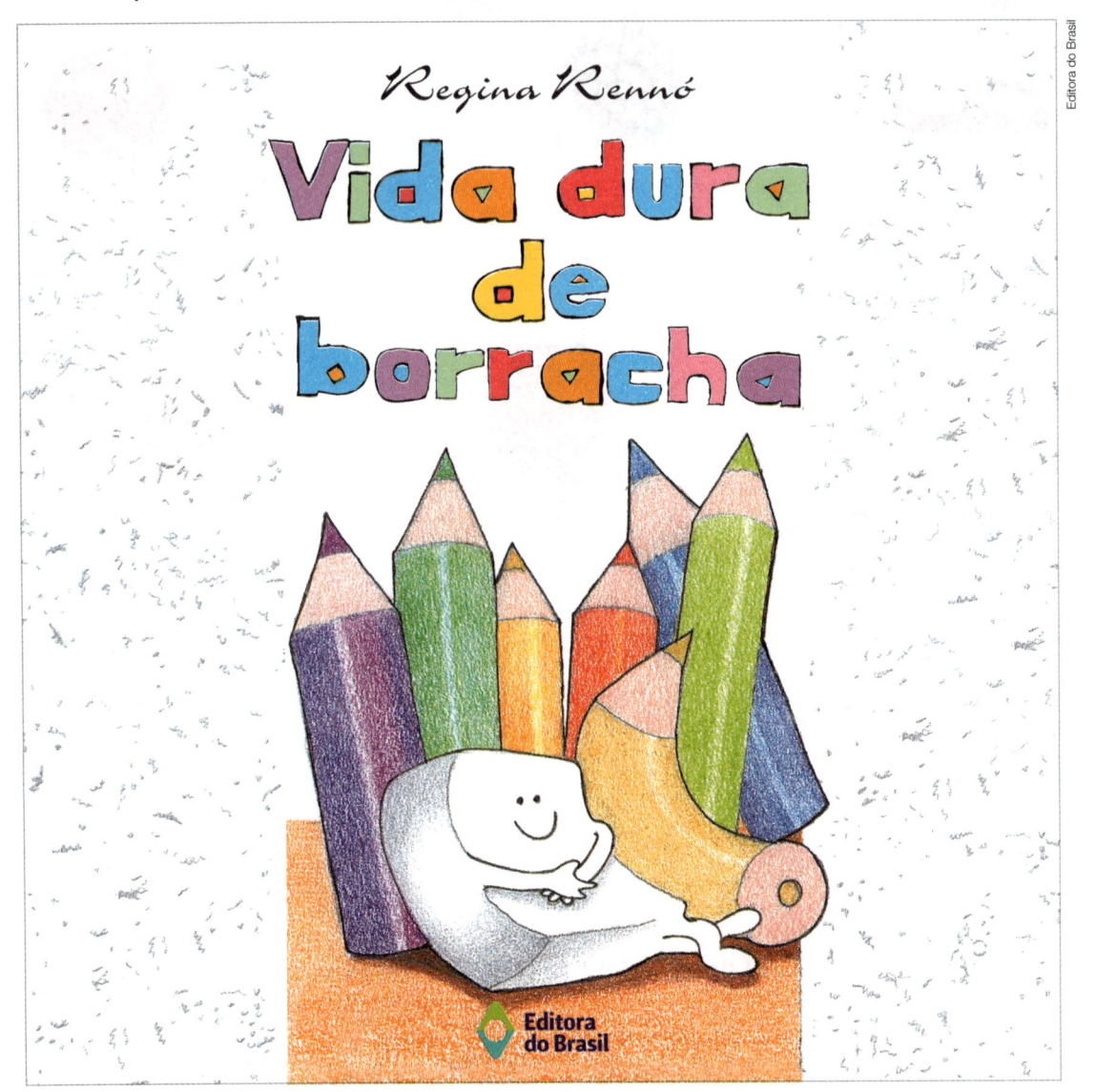

Regina Rennó
Vida dura de borracha

Editora do Brasil

BRINCANDO COM O TEXTO

1. A capa de um livro costuma apresentar, além do título do livro, o nome do autor e o da editora que o publicou.

   a) Circule o nome da autora do livro.

   b) Faça um **X** do lado do nome da editora.

2 Responda às questões oralmente.

  a) Que elementos aparecem na imagem da capa do livro?

  b) O que é uma "vida dura"?

  c) Por que você acha que a vida da borracha é dura?

  d) Depois de ver essa capa, você ficou com vontade de ler o livro? Por quê?

3 Copie a seguir o título do livro.

_____

CALIGRAFIA

Letras rr

1 Todas as figuras a seguir têm **rr** no nome. Escreva o nome de cada uma com letra cursiva.

a)

b)

c)

d)

2 Ordene as sílabas para formar as palavras. Escreva-as nas lacunas com letra cursiva.

a) te | ser | ro → _____

b) rão | car | ma → _____

c) ri | da | cor → _____

d) ro | zer | be → _____

3 Copie os trava-línguas com letra cursiva. Depois, desafie um colega para ver quem consegue falar os trava-línguas mais rápido.

a) *A aranha arranha o jarro.*

b) *O gorila ficou ferido.*

c) *Rebeca come beterraba e rabanete.*

BRINCANDO

1 Você conhece a cantiga *A barata diz que tem*? Complete a letra dela com as palavras do quadro e, depois, cante-a com a turma!

A barata diz que tem

barata   sapato   só   dura
fivela   mentira   casca

A barata diz que tem
Sete saias de filó
É mentira da barata

Ela tem é uma _____

Ha ha ha, ho ho ho,
Ela tem é uma só

A _____ diz que tem
Um anel de formatura

É _____ da barata

Ela tem a casca _____

Ha ha ha, ho ho ho,

Ela tem a _____ dura

A barata diz que tem

Um sapato de _____
É mentira da barata

O _____ é da mãe dela

Ha ha ha, ho ho ho,
O sapato é da mãe dela
[...]

Cantiga.

2 Desafio! Encontre na ilustração os três objetos que a barata diz que tem e circule-os.

UNIDADE 25

TEXTO

Que nomes ou apelidos seus familiares usam para chamar você? Como seus colegas da escola costumam chamar você? Acompanhe a leitura do professor.

Adulto diz cada coisa...

Olá, meu nome é Andrei Felipe.
[...]
Você já percebeu como o nosso nome pode ficar diferente dependendo da situação e da pessoa que nos chama?

Olha só o que acontece comigo.

Quando o vovô Manoel chega, ele vai logo perguntando:

– Cadê o *bacaninha* do vovô?

O meu pai sempre me chama de Dedei.

A minha mãe me chama de Andrei Felipe, mas quando fica brava...

– Andreeeii, Andreeeii!
[...]

Mailza de Fátima Barbosa. *Adulto diz cada coisa...* São Paulo: Editora do Brasil, 2010. p. 4, 17 e 18.

BRINCANDO COM O TEXTO

1 Escreva o primeiro nome:

a) do personagem da história:
_____

b) do avô do personagem:
_____

2 Responda às questões.

a) Como o personagem da história é chamado pelo avô?
_____

b) E como o pai o chama?
_____

c) Como normalmente a mãe chama o personagem?
_____

d) E quando a mãe está brava, como ela o chama?
_____

3 Pinte de **azul** a fala do avô e de **vermelho** a fala da mãe do menino.

– Cadê o *bacaninha* do vovô?

– Andreeeii, Andreeeeii!

4 Com a ajuda do professor, descubra e copie o nome da autora do livro em que a história foi publicada.
_____

CALIGRAFIA

Letras ss

1 Leia estas palavras e copie-as com letra cursiva.

a) assado

b) tosse

BRINCANDO COM AS LETRAS

1 Complete as palavras com **ss** e copie-as com letra cursiva.

a) pá_____aro

c) a_____inatura

e) a_____unto

b) so_____ego

d) pe_____oal

f) ma_____a

2 Escreva o nome de cada figura e separe-o em sílabas.

a)

b)

c)

3 Complete as frases com as palavras do quadro.

> assistiu   tossiu   carrossel

a) No domingo, Alessandro brincou no _____.

b) Cassandra _____ a um filme na televisão.

c) Vovô _____ muito essa noite.

> A letra **s** entre vogais tem som igual ao do início da palavra **zebra**. Já as letras **ss** entre vogais têm som igual ao da palavra **sapo**.

4 Separe as palavras em sílabas.

a) casa

b) roseira

c) música

d) gasolina

5 Siga as setas para juntar as sílabas e formar palavras.

a) te → le → vi → são
_____

b) vi → si → ta
_____

c) gu → lo → so
_____

d) ro → sa → do
_____

6 Complete as palavras com **s** ou **ss**. Para isso, preste atenção ao som de cada uma.

a) coi___a

b) pa___agem

c) vi___ão

d) va___oura

e) pê___ego

f) ri___ada

7 Agora, escreva as palavras da atividade anterior nas colunas adequadas do quadro.

S	SS

8 Complete as palavras com **s** ou **ss**. Depois, faça um desenho de cada palavra com **ss**.

a) concur___o

b) o___o

c) aniver___ário

d) gira___ol

BRINCANDO

Descrição

1 O que cada um está fazendo? Observe a cena e complete a descrição com as palavras do quadro.

- mesa
- Cássio
- tesoura
- pressa
- maionese
- assadeira
- presunto
- rosa
- assoa
- vaso

_____ está gripado e _____ o nariz. Elisa põe uma _____ no _____. José põe a _____ sobre a _____. César prepara um sanduíche de _____ e _____. Aléssia tem _____ e tira uma _____ do forno.

2 Vamos brincar de "passa-anel". Veja como participar.

1. A turma escolhe um participante para passar o anel e outro para observar e adivinhar com quem o anel está.
2. O participante que vai passar o anel segura o anel entre as palmas das mãos unidas.
3. Os demais colegas, também com as palmas das mãos unidas, formam uma fila.
4. O participante com o anel passa as mãos entre as mãos de cada colega da fila, um de cada vez.
5. No momento em que escolher, ele deixa o anel escorregar para dentro das mãos de um colega, tentando evitar que o observador perceba quem é esse colega.
6. Após o participante com o anel passar as mãos entre as mãos de todos da fila, o observador tenta adivinhar com quem está o anel. Se acertar, o observador passa o anel na jogada seguinte.

UNIDADE 26

TEXTO

O professor vai ler um conto de fadas chamado "O Mágico de Oz". Você já ouviu essa história?

O Mágico de Oz

Numa fazenda do Kansas, vivia Dorothy com seus tios e um cãozinho chamado Totó.

Uma noite, veio um furacão terrível, que carregou sua casa inteira pelos ares.

Muito assustada, Dorothy sentiu a casa inteira girar como um redemoinho. Em seguida, aterrissou suavemente num bosque com estranhas criaturas.

Alguns homenzinhos se aproximaram de Dorothy, dizendo:
– Bem-vinda! Você acabou com a malvada Bruxa do Leste!
Então surgiu a Fada do Norte e a menina quis voltar para casa.
– Estes sapatos mágicos levarão você à cidade Esmeralda, onde vive o Mágico de Oz. Ele poderá ajudá-la – disse a fada.

No caminho, Dorothy encontrou um espantalho que queria ter um cérebro.
– Venha comigo ao Mágico de Oz – ela sugeriu.
Depois encontraram um homem de lata que queria ter um coração.

– Venha conosco – convidaram.
Então apareceu um leão.
– Deixem-me ir com vocês. Sou um leão covarde, quero que o mágico me dê coragem.
Os quatro chegaram à cidade Esmeralda e foram ver o Mágico de Oz. Ele tinha uma voz assustadora! Cada um deles tremia de medo ao fazer seu pedido.
– Realizarei seus desejos se acabarem com a Bruxa do Oeste – disse o mágico.
Corajosamente, eles atiraram um balde de água na bruxa, pois sabiam que a água era mortal para ela.
Mas, quando voltaram ao palácio do mágico, descobriram que ele não passava de um velho palhaço. Só a fada poderia realizar seus desejos. E ela assim o fez.
Finalmente, o homem de lata conseguiu um coração, o espantalho recebeu um cérebro, o leão ganhou coragem...
... e o Mágico de Oz recuperou seu velho balão para voltar ao seu país.
Quanto a Dorothy, voltou para casa voando, acompanhada de seu cãozinho Totó.
– Adeus!

Contos fantásticos. Barueri: Girassol, 2007. p. 57-74.

BRINCANDO COM O TEXTO

1 Responda oralmente às questões.
   a) Onde a história se passa?
   b) Como Dorothy foi parar no bosque com estranhas criaturas?
   c) Quem são os personagens nessa história?
   d) O que Dorothy precisou fazer para voltar para casa?

2 Identifique no texto as palavras que terminam com a letra **z**. Copie-as a seguir.

_____

3 Reconte, oralmente, para seus pais ou responsáveis a história lida pelo professor.

CALIGRAFIA

Letra z no final das palavras

1 Leia estas palavras e copie-as com letra cursiva.

a) rapaz

b) xadrez

c) raiz

d) feroz

ATIVIDADES

1 Complete as palavras com **az**, **ez**, **iz**, **oz** ou **uz**.

a) cart_____

b) palid_____

c) cicatr_____

d) vel_____

e) cap_____

f) ju_____

g) talv_____

h) avestr_____

i) infel_____

j) g_____

k) cap_____

l) p_____

2 Em cada grupo de sílabas a seguir, forme duas palavras que terminem com a sílaba do círculo **vermelho**. Escreva-as nos espaços.

a) riz — fa, na, cha

_____

_____

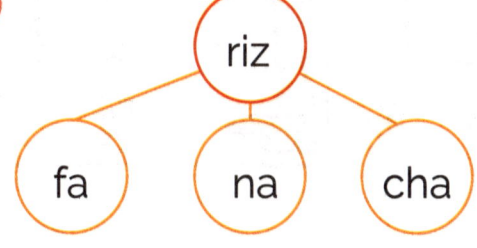

b) dez — pi, es, tu, ra

_____

_____

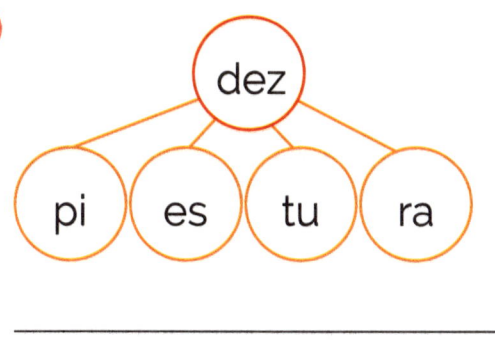

c) roz — ar, fe

_____

_____

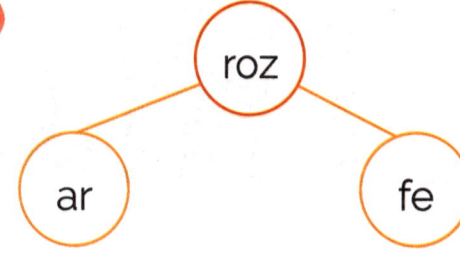

d) paz — ra, ca

_____

_____

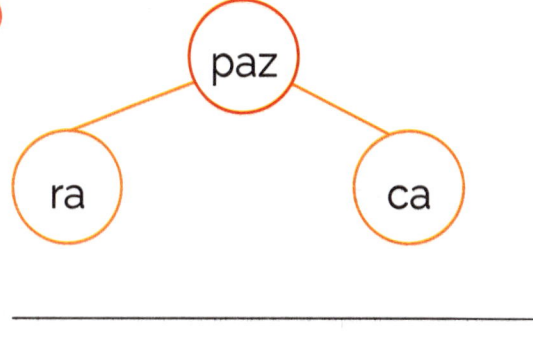

UNIDADE 27

TEXTO

Veja a história abaixo. Ela é contada em quantos quadrinhos? Acompanhe a leitura do professor.

— ARMANDINHO!

ESQUECEU DOS VIZINHOS?!
CLARO QUE NÃO!

ATÉ AUMENTEI PRA ELES OUVIREM!

Alexandre Beck. *Armandinho*. Disponível em: http://tirasarmandinho.tumblr.com/post/145994685919/tirinha-original. Acesso em: 23 abr. 2020.

BRINCANDO COM O TEXTO

1) Responda oralmente às questões.
   a) Quem são os personagens da tirinha? Qual é a relação entre eles?
   b) O que o menino está fazendo? Como você sabe?
   c) Por que o pai pergunta ao filho se ele se esqueceu dos vizinhos?

d) O menino entendeu a preocupação do pai? Como você sabe?

e) O que devemos fazer para não incomodar os vizinhos?

2 Circule na tirinha o nome do personagem.

3 Sublinhe na tirinha outra palavra que tenha as letras **nh**.

BRINCANDO COM AS LETRAS

Letras nh

1 Circule as palavras escritas com as letras **nh**.

- tamanho
- castanha
- carimbo
- senha
- sobra
- tamanco
- banho
- vergonha
- montanha
- sobrinho
- sino
- carinho

2 Escreva o nome de cada figura com letra cursiva. Depois, pinte os desenhos.

a)

b)

c)

d)

ILUSTRAÇÕES: PAULA KRANZ

3 Complete o diagrama com as palavras do quadro.

- banheiro
- ninho
- pamonha
- pinhão
- unha
- vizinho

4 Ordene as sílabas e escreva as palavras.

a) ro | nhei | di

_____

b) ga | nha | li

_____

c) nhão | ca

_____

d) ri | sa | pas | nho

_____

5 Separe as palavras a seguir em sílabas. Escreva cada sílaba em um quadrinho.

a) aranha

b) linho

c) farinha

d) pinheiro

e) lenhador

f) cebolinha

6 Siga as dicas para descobrir palavras com **nh** e escreva-as nos espaços à direita. As imagens podem ajudar.

a) É algo que acontece quando estamos dormindo e também é o nome de um doce de padaria: _____.

b) É uma parte da flor que pode machucar e também faz parte do nome de um bicho de pelo espetado: _____.

c) É uma personagem de contos de fadas, uma carta do baralho e uma peça do jogo de xadrez: _____.

d) É um profissional que ajuda o juiz nas partidas de futebol, mas também é uma bandeira pequena: _____.

BRINCANDO

Cantiga

1 Agora, vamos retomar a cantiga *A galinha do vizinho*.

2 Na página 253, você encontrará os versos da cantiga fora de ordem. Recorte-os e, com os colegas, ordene-os e cole-os a seguir.

A galinha do vizinho

3 Pinte os animais que têm as letras **nh** no nome.

UNIDADE 28

TEXTO

O texto a seguir chama-se "Não confunda...".

O que essa expressão quer dizer? Você acha que alguém pode confundir abelha com ovelha? Por quê?

Acompanhe a leitura do professor.

Não confunda...

Não confunda mochila chocante com gorila mutante.

[...]

Não confunda ovelha abelhuda com abelha orelhuda.

Não confunda cachecol de borboleta com caracol de maleta.

[...]

Eva Furnari. *Não confunda...* São Paulo: Moderna, 2012. p. 4-5, 22-25.

BRINCANDO COM O TEXTO

1 Responda às questões.

a) Que animais são mencionados no texto?
_____

b) É possível confundir os elementos citados no texto? Por quê?
_____
_____

2 Volte ao texto e circule a última palavra de cada linha.

3 Complete os quadrinhos com as letras que faltam para formar as palavras que você circulou no texto.

a) ☐ ☐ o ☐ a n ☐ ☐
m ☐ t ☐ n t ☐

b) ☐ b e ☐ ☐ u ☐ a
☐ e l ☐ ☐ d ☐

c) ☐ o r ☐ o ☐ ☐ t ☐
☐ ☐ l e ☐ a

4 Complete os espaços abaixo com palavras que combinem, para formar um trecho como o do texto lido.

Não confunda _____

com _____.

BRINCANDO COM AS LETRAS

Letras lh

1 Siga as setas e junte as sílabas para formar as palavras. Escreva-as ao lado.

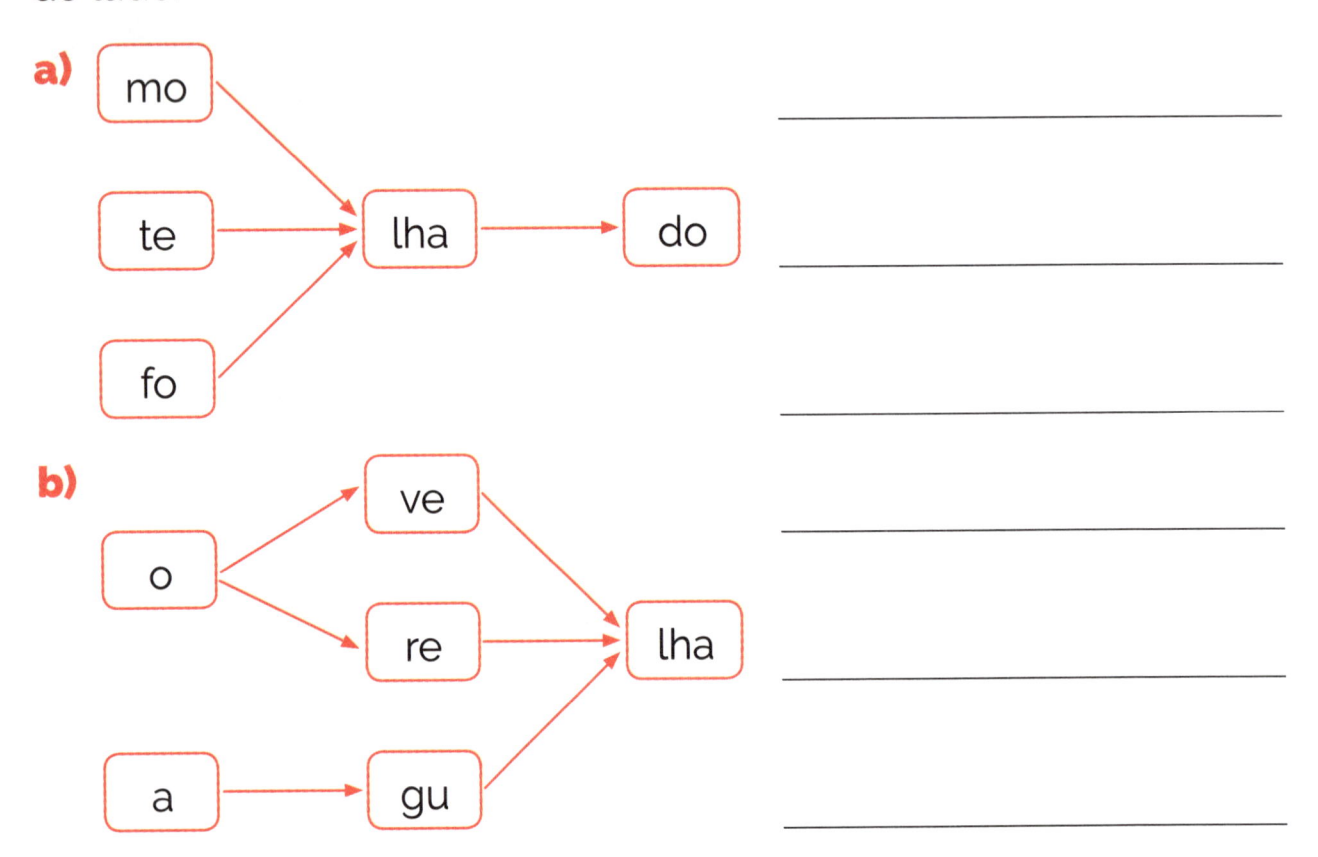

a) mo → lha
   te → lha → do
   fo → lha

b) o → ve → lha
   o → re → lha
   a → gu → lha

2 Complete as frases com as palavras do quadro de modo que façam sentido.

- medalha
- bilhete
- folhinha
- espelho

a) Guilherme adora fazer caretas no _____.

b) O calendário também é chamado de _____.

c) Deixe um _____ avisando se vem almoçar.

d) Júlia ganhou uma _____ na competição.

Letras ch

1 Pinte as sílabas que formam o nome de cada figura e escreva-os ao lado.

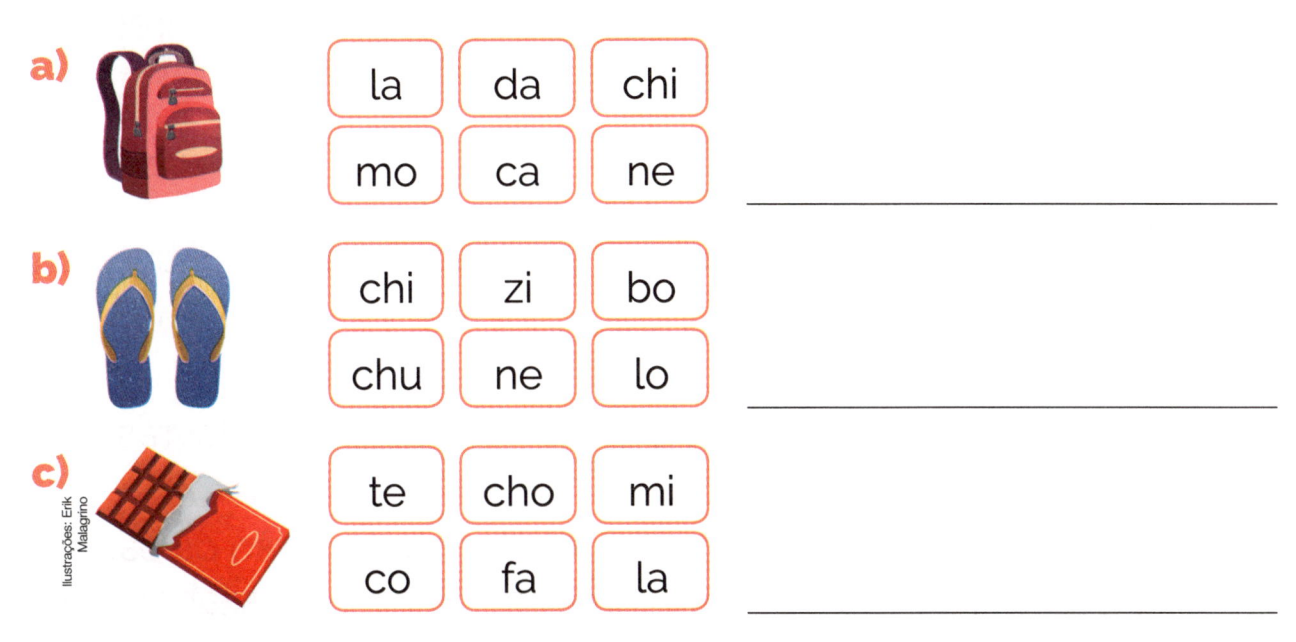

a) | la | da | chi |
| mo | ca | ne |

b) | chi | zi | bo |
| chu | ne | lo |

c) | te | cho | mi |
| co | fa | la |

2 Substitua os símbolos pelas sílabas correspondentes e forme palavras.

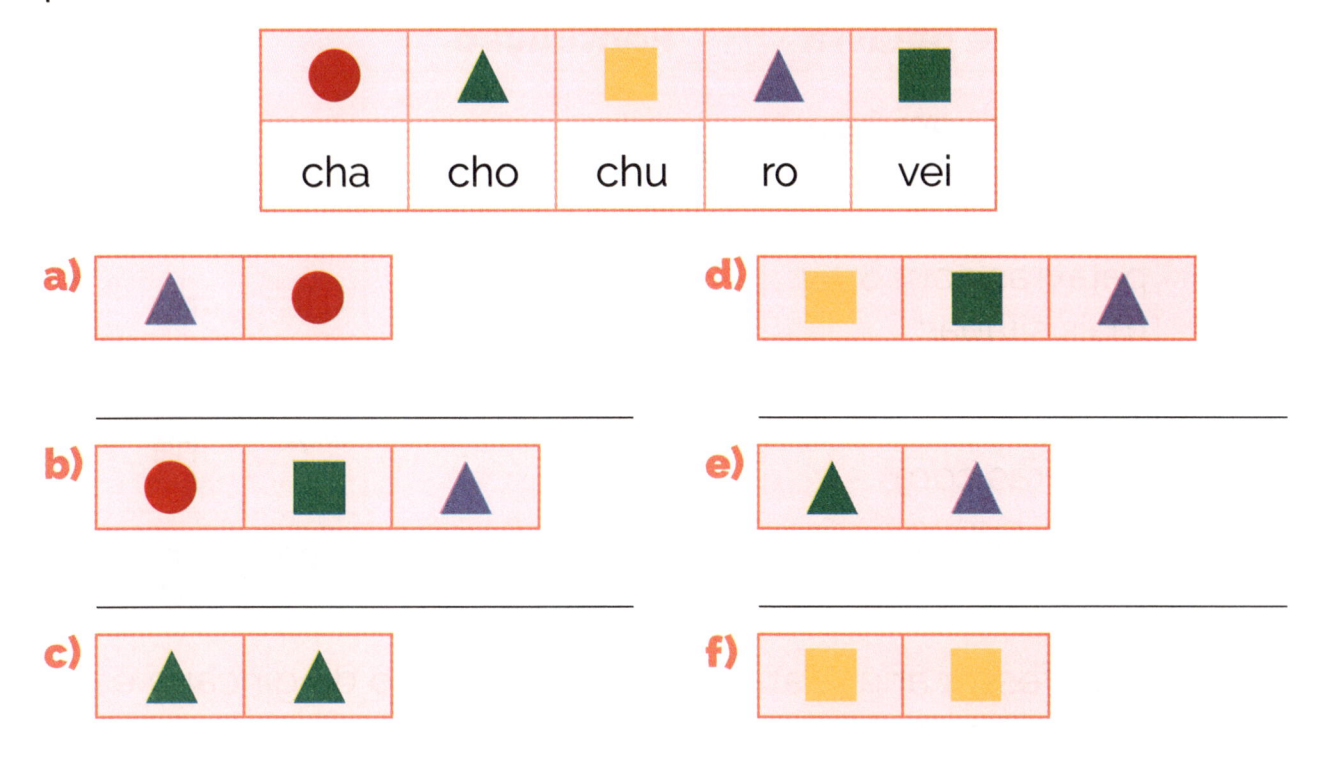

●	▲	■	▲	■
cha	cho	chu	ro	vei

a) ▲ ●

b) ● ■ ▲

c) ▲ ▲

d) ■ ■ ▲

e) ▲ ▲

f) ■ ■

BRINCANDO

Montagem de palavras

1 Vamos organizar uma gincana de montagem de palavras! Veja como participar.

1. Recorte a página 255 e cole-a em uma cartolina. Espere secar e recorte os cartões.
2. O professor organizará a turma em equipes de quatro alunos.
3. As equipes usarão os cartões para montar o maior número possível de palavras.
4. Um participante de cada equipe registrará as palavras em uma folha de papel.
5. Para montar as palavras, os participantes usarão os cartões com as sílabas e poderão também criar novas sílabas com as letras-curinga.

   Veja a pontuação para cada tipo de palavra montada.

Tipo de palavra	Pontuação	Exemplos
palavras com 1 ou 2 sílabas	1 ponto	bo | la
palavras com 3 ou mais sílabas	2 pontos	lu | ne | ta
palavras com letras-curinga	3 pontos	c | ha | ve ca | r | rro

6. O professor anunciará o início e o término da gincana e ajudará as equipes a calcular os pontos.
   Boa sorte!

2 Você vai participar da brincadeira "Coelhinho, sai da toca!".

1. A turma forma uma roda e escolhe um colega para começar a brincadeira "fora da toca", no centro da roda.
2. O professor desenha no chão, com giz, uma toca de coelho em volta dos pés de cada um dos demais participantes.
3. Quando ele disser: "Coelhinho, sai da toca!", todos saem correndo de sua toca e tentam entrar na toca de outro colega.
4. O aluno que começou a brincadeira no centro da roda também tenta entrar em uma toca.
5. O participante que ficar sem toca vai para o centro da roda e fala uma palavra com **lh** ou **ch**. A brincadeira recomeça.

UNIDADE 29

TEXTO

Observe a ilustração. O que ela mostra? Você já viu um animal parecido com esse?

Acompanhe a leitura do professor.

O caracol viajante

Rodolfo é um caracol. Ele adora viajar.
Rodolfo anda devagar. Ele não tem pressa de chegar.
Rodolfo leva a casa nas costas.
A barriga vai no chão. A cabeça vai no ar.
Rodolfo vive sempre satisfeito. Ele não tem aluguel pra pagar.
[...]

Sônia Junqueira. *O caracol viajante*. São Paulo: Ática, 2007. p. 24.

BRINCANDO COM O TEXTO

1 Responda oralmente às questões.

a) Onde Rodolfo leva sua casa?

b) O que ele gosta de fazer?

c) Por que ele vive satisfeito?

2 Além de **caracol**, que outras palavras do texto têm as letras **al**, **el**, **il**, **ol** ou **ul** no fim de uma sílaba? Escreva-as abaixo.

___

CALIGRAFIA

Al, el, il, ol, ul

1 Leia estas sílabas e copie-as com letra cursiva.

al   el   il   ol   ul

ATIVIDADES

1 Complete as palavras com **al**, **el**, **il**, **ol** ou **ul**.

a) _____ ma

b) pap _____

c) f _____ me

d) s _____ dado

e) futeb _____

f) az _____

2 Em revistas ou jornais, procure palavras com **al**, **el**, **il**, **ol** e **ul**. Recorte-as e cole-as nos quadros correspondentes a elas.

al

el

il

ol

ul

3 Separe as palavras a seguir em sílabas, colocando cada sílaba em um quadrinho. Pinte os quadrinhos que não usar.

a) Brasil

b) mel

c) jornal

d) almoço

e) cultura

f) golfe

g) pulga

h) volta

4 Encontre no diagrama a seguir as sílabas que formam as palavras da atividade 3.

GOL	DIZ	BRA	FE	NIL
AL	BEM	MEL	SIL	GA
DOR	JOR	CI	NI	CUL
MO	NHA	QUA	GE	NAL
LI	ÇO	CHA	TU	XI
CEL	PUL	JA	RA	VOL
RI	SAL	TA	GRO	DÃO

5 Ligue as palavras às figuras nomeadas por elas.

a) anel

b) lençol

c) pulseira

d) dedal

e) pincel

BRINCANDO

Etiquetas

1 Aldo está organizando seu empório. Vamos ajudá-lo escrevendo o nome dos objetos nas etiquetas?

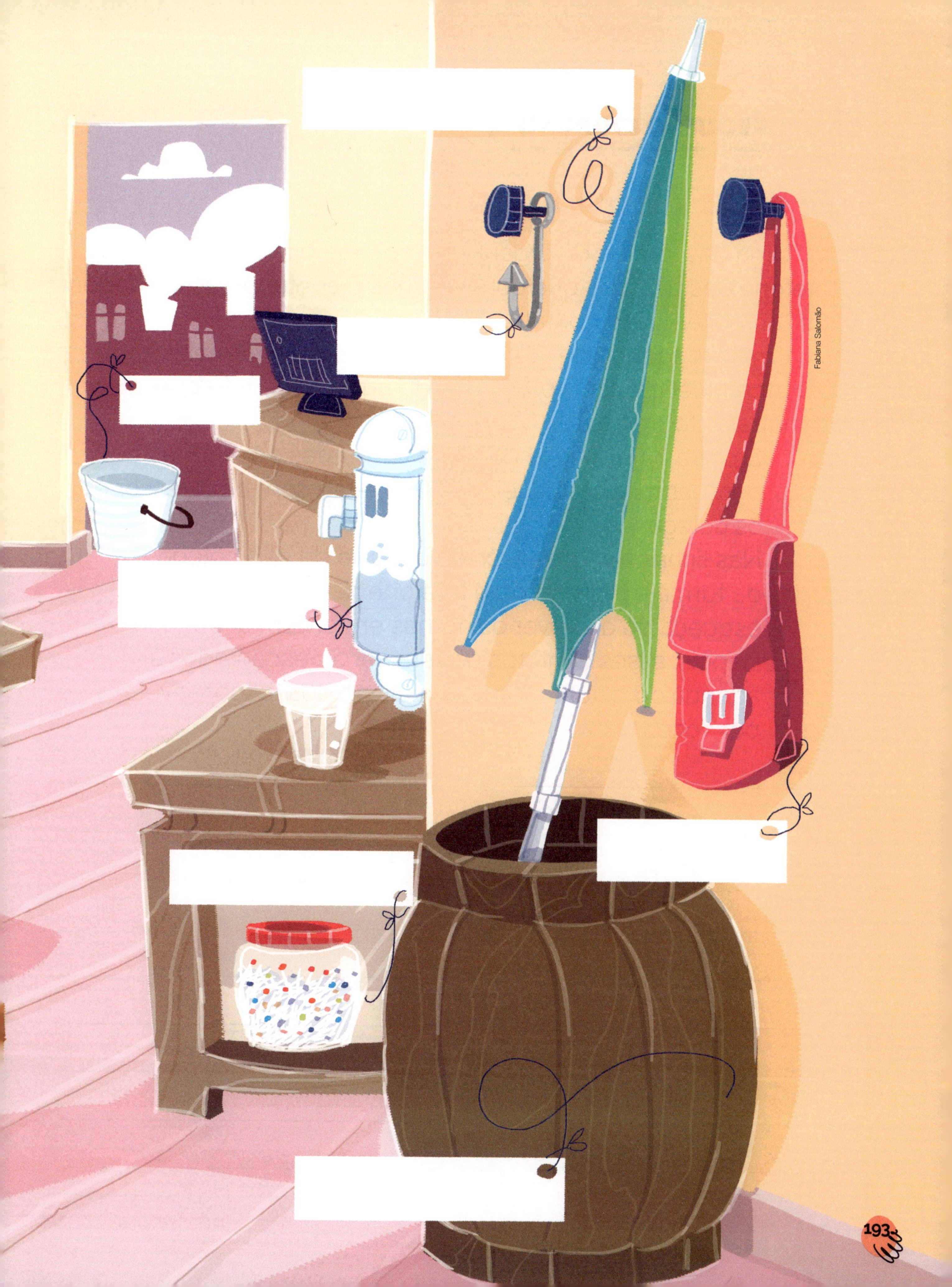

Fabiana Salomão

PEQUENO CIDADÃO

Agenda de contatos

Uma das formas de organizar o nome e o número de telefone das pessoas que conhecemos é anotando esses dados em uma agenda de contatos.

Em uma agenda de contatos, os nomes são organizados em ordem alfabética, acompanhados do número de telefone, além de outras informações.

1. Em sua opinião, é importante ter nomes e telefones de pessoas que conhecemos? Converse com o professor e os colegas.
2. Nas linhas a seguir, escreva o nome de seis colegas da turma e o número de telefone para contato. Não se esqueça de escrever os nomes em ordem alfabética. Depois, esses contatos podem ser acrescentados à agenda do celular dos seus pais ou dos responsáveis por você.

UNIDADE 30

TEXTO

Acompanhe a leitura do professor.

Macaco no galho

Parado na beira da estrada
sem pneu **sobressalente**,
pede ajuda o motorista
a um macaco sorridente.

Macaco no carro

Esperto, o bicho responde:
– Meu amigo, que buraco!
Se o senhor não tem **estepe**,
de que lhe serve um macaco?

Renata Bueno e Sinval Medina. *Manga madura não se costura?* São Paulo: Editora do Brasil, 2012. p. 4-5.

GLOSSÁRIO

Estepe: pneu reserva que se leva no carro para substituir outro que apresente problemas.

Sobressalente: a mais, que está sobrando.

BRINCANDO COM O TEXTO

1 Responda oralmente às questões.

a) As quadrinhas brincam com dois sentidos da palavra **macaco**. Quais são eles?

b) Ao responder ao motorista, o macaco diz: "Meu amigo, que buraco!". O que ele quis dizer com isso?

c) Por que o macaco não podia ajudar o motorista?

2 As quadrinhas fazem parte do livro *Manga madura não se costura?*. Observe as imagens e escreva os dois sentidos que a palavra **manga** pode ter.

a) _____

b) _____

3 Nas quadrinhas, há dois jeitos diferentes de se chamar uma mesma coisa. Indique-os com um **X**.

☐ Macaco no galho/macaco no carro.

☐ Pneu sobressalente/estepe.

4 Encontre nas quadrinhas duas palavras escritas com **em** e copie-as a seguir.

_____ _____

CALIGRAFIA

Am, em, im, om, um

1 Leia estas sílabas e copie-as com letra cursiva.

am   *em*   *im*   *om*   *um*

ATIVIDADES

1 Escreva o nome das figuras. Depois, faça um **X** no quadrinho das palavras que têm **am**, **em**, **im**, **om** ou **um**.

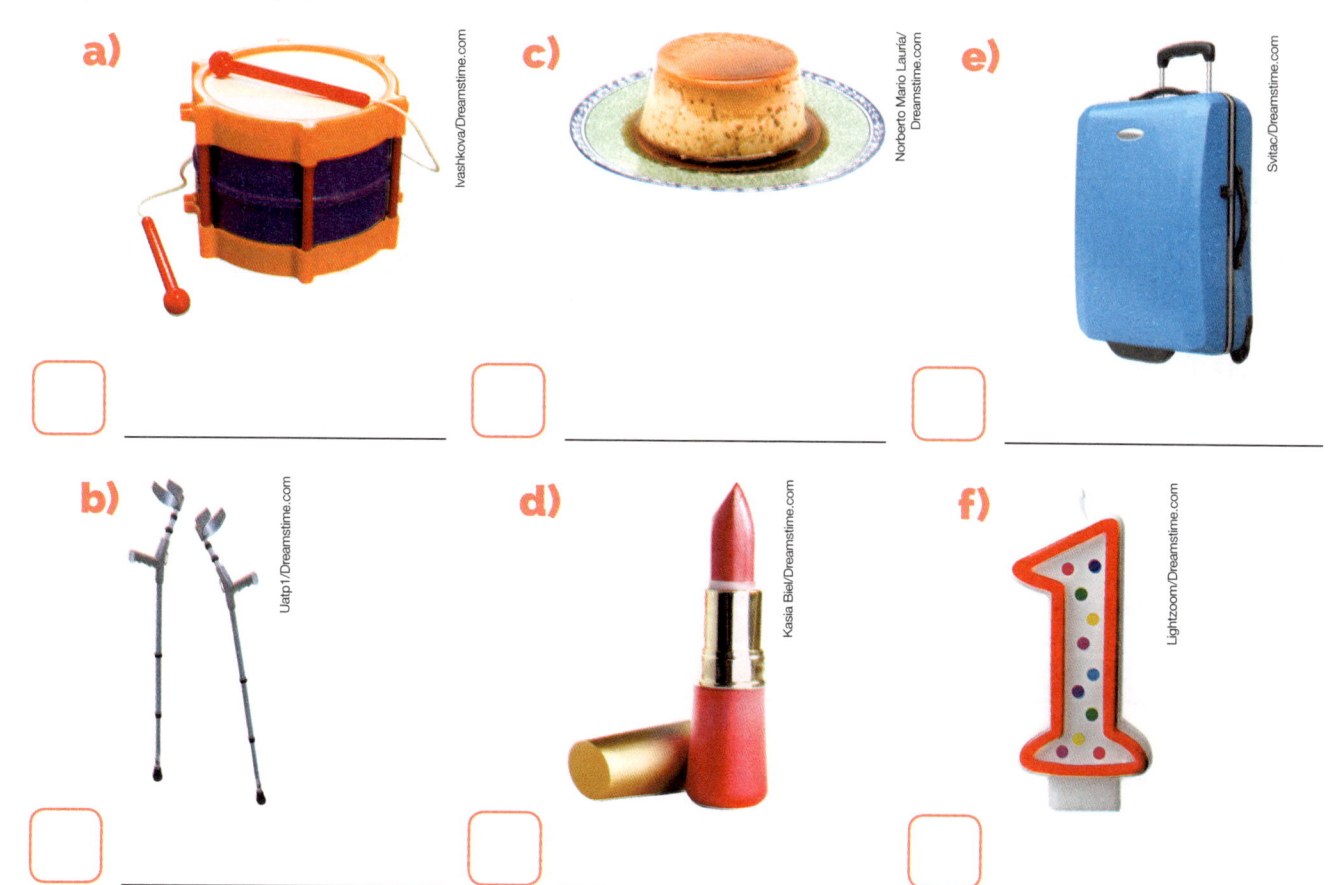

a)

b)

c)

d)

e)

f)

2 Em cada grupo de sílabas a seguir, forme duas palavras que começam com a sílaba do círculo **vermelho**. Depois, escreva-as nos espaços.

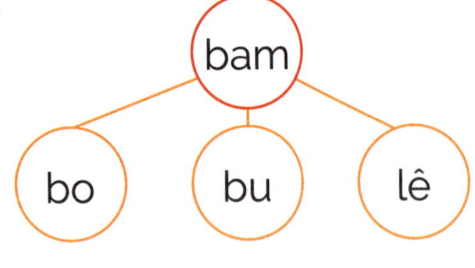

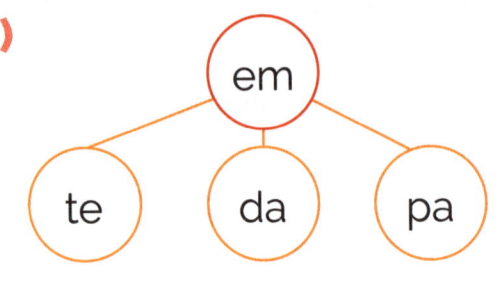

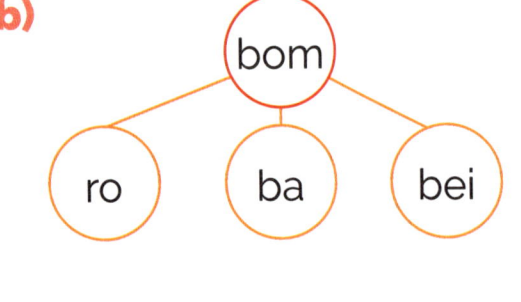

a) bam — bo, bu, lê

_____

_____

b) bom — ro, ba, bei

_____

_____

c) em — te, da, pa

_____

_____

d) zum — do, ba, bi

_____

_____

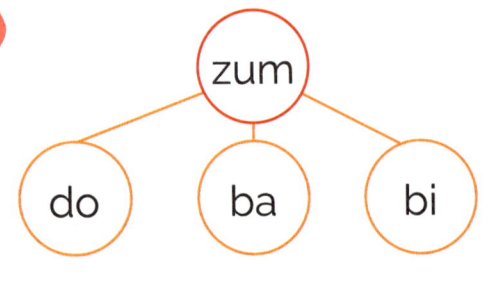

3 Complete as palavras com **am**, **em**, **im, om** ou **um**.

a) t____pa

b) t____bo

c) t____peratura

d) tr____polim

e) ch____bo

f) ch____pinh____

4 Escreva as palavras da atividade anterior.

_____

_____

_____

5 Ordene as sílabas e escreva as palavras.

a) ba | sam

b) tim | ce

c) bro | om

d) dre | dom | e

e) bi | um | go

f) bo | bum

g) ça | lem | bran

h) le | tim | bo

6 Escreva o nome das figuras. Depois, separe as palavras em sílabas. Pinte os quadrinhos que você não usar.

a) _____

b) _____

c) _____

d) _____

BRINCANDO

Trava-línguas

1 Vamos brincar com trava-línguas!

a) Leia o trava-língua abaixo e, em seguida, complete a versão em letra cursiva com as palavras que faltam.

> O tempo perguntou pro tempo quanto tempo o tempo tem.
> O tempo respondeu pro tempo que o tempo tem tanto tempo quanto tempo o tempo tem.
>
> Trava-língua.

O tempo perguntou pro tempo quanto _____ o tempo _____.

O tempo respondeu pro tempo que o _____ tem _____ tempo quanto tempo o tempo _____.

Trava-língua.

b) Agora, leia o trava-língua a seguir e, com os colegas e o professor, complete a explicação sobre o umbu.

> Lá de trás de minha casa
> Tem um pé de umbu butando.
> Umbu verde, umbu maduro, umbu seco, umbu secando.
>
> Trava-língua.

O umbu é uma fruta.
As palavras do trava-língua que nos ajudam a perceber isso são _____ e _____.

2 Agora é sua vez de registrar um trava-língua.

Para começar, junte-se com um colega.
Agora, procurem um trava-língua para escrever nas linhas a seguir.
O professor vai ajudá-los nessa tarefa.

_____

_____

_____

_____

3 Com a ajuda do professor, leiam o trava-língua que vocês copiaram no livro. Depois, conversem:

a) Qual é o tema desse trava-língua?

b) Quais palavras têm sons parecidos nesse texto?

c) Por que você e seu colega escolheram esse texto para registrar no livro?

4 No dia combinado pelo professor, todos farão a apresentação do trava-língua registrado no livro.

UNIDADE 31

TEXTO

Qual é a cor da borboleta do texto abaixo? Pinte o desenho com essa cor.

Acompanhe a leitura do professor.

A Borboleta Azul

Certa manhã, quando o Coelho Amarelo saía da toca, percebeu que alguma coisa muito estranha estava acontecendo lá em cima do galho. De repente, a casca marrom se rompeu e dela surgiu uma linda Borboleta Azul.

O espanto foi tanto, que o Coelho Amarelo fugiu dali em saltos velozes...

A Borboleta Azul era bela como um anjo, mas muito desengonçada. Suas asas, ainda molhadas, não a deixavam voar. Foi preciso algum tempo para iniciar as primeiras tentativas.

No início, começou voando baixo e bem devagar, com muito cuidado para não se machucar. Outras vezes, era bem atrapalhada, pois, durante os voos, esquecia de bater as asas ou as enroscava uma na outra e, quando isso acontecia, ploft! Caía estatelada. Mas, quanto mais caía, tanto mais insistia.

[...]

Lenira Almeida Heck. *A Borboleta Azul*. Rio Grande do Sul: Univates, 2006. p. 5-6.

BRINCANDO COM O TEXTO

1) Responda oralmente às questões.

   a) Que animais são mencionados no texto?

   b) Por que o Coelho fugiu ao ver a Borboleta Azul?

   c) A Borboleta Azul conseguiu voar logo na primeira tentativa? Por quê?

2) Com lápis de cor, destaque as palavras do texto que têm sílabas com **an**, **en**, **in**, **on** ou **un**.

CALIGRAFIA

An, en, in, on, un

1) Leia estas sílabas e copie-as com letra cursiva.

an   *en*   *in*   *on*   *un*

2) Complete o nome dos animais com **an**, **on** ou **un**. Depois, escreva-os em letra cursiva.

   a) elef_____te

   b) cam_____d_____go

ATIVIDADES

1 Substitua as imagens pelas sílabas correspondentes a elas e escreva as palavras.

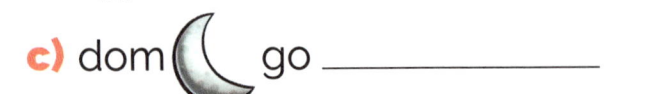

♥	⚡	🌙	☀	☁
an	en	in	on	un

a) j♥tar _____

b) ☀ze _____

c) dom🌙go _____

d) faz⚡da _____

e) f☁do _____

f) b♥guela _____

g) b⚡gala _____

h) p🌙tura _____

i) ☀tem _____

j) n☁ca _____

2 Complete as palavras com as sílabas do quadro.

- so - ve - te - do - ge - ga - xa - se

a) gen_____

b) pitan_____

c) en_____da

d) _____gundo

e) lin_____

f) gan_____

g) lon_____

h) in_____ja

i) fren_____

j) inten_____

k) con_____lar

l) tan_____

m) can_____

n) _____ente

o) den_____

3 Escreva o nome das figuras.

a) _____

b) _____

c) _____

d) _____

BRINCANDO

1 Com os colegas e o professor, leia o trava-língua.

> Gato escondido com rabo de fora
> Está mais escondido
> Que rabo escondido com gato de fora.
>
> Trava-língua.

2 Converse com os colegas.

a) O que é um "rabo escondido com gato de fora"?

b) Por que o gato escondido com o rabo de fora está mais escondido?

3 Com um colega, recite o trava-língua bem rápido e sem trocar as palavras de lugar.

UNIDADE 32

TEXTO

O texto a seguir conta por que a água e o fogo não podem ficar juntos. Você saberia explicar?

Acompanhe a leitura do professor.

A água e o fogo

Certa vez um homem ficou muito decepcionado, porque o fogo e a água não podiam ficar juntos. Ele decidiu então reuni-los de uma vez por todas. Lançou então um balde d'água no fogo. Não deu certo.

— Acho que joguei muita água e apaguei o fogo.

Mudou de tática e jogou só um pouquinho de água no fogo. Não adiantou nada.

— O fogo estava muito forte e secou a água.

Dizem que esse homem tenta até hoje reunir água e fogo. Ora o fogo seca a água, ora a água apaga o fogo.

Querer reunir água e fogo leva à perda de um deles.

Sérgio Capparelli. *30 fábulas contemporâneas.*
Porto Alegre: L&PM, 2008. p. 39.

BRINCANDO COM O TEXTO

1 Responda oralmente às questões.

a) O que o homem desejava reunir?

b) Em sua opinião, é possível juntar esses dois elementos? Por quê?

c) O homem conseguiu o que queria? Conte o que aconteceu.

2 Reconte oralmente para um colega o texto que o professor leu. Depois, escute com atenção o que ele vai contar a você.

CALIGRAFIA

Ar, er, ir, or, ur

1 Leia estas sílabas e copie-as com letra cursiva.

ar   er   ir   or   ur

ATIVIDADES

1 Complete as palavras com **ar**, **er**, **ir**, **or** ou **ur**.

a) qu____to

b) p____didos

c) ____mã

d) men____

e) p____c____so

f) lug____

g) ____so

h) b____ço

2 Junte as sílabas para formar palavras e escreva-as ao lado.

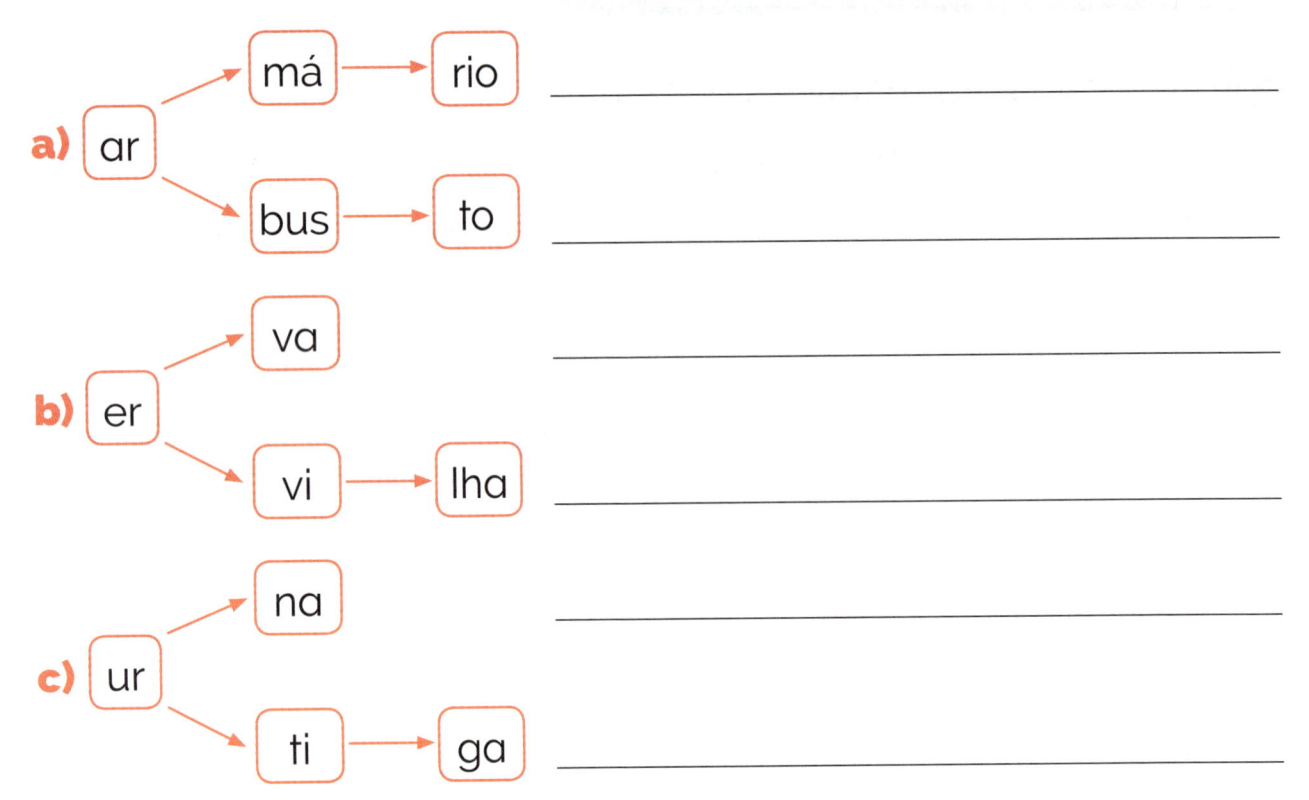

a) ar → má → rio _____
       → bus → to _____

b) er → va _____
       → vi → lha _____

c) ur → na _____
       → ti → ga _____

3 Escreva o nome das figuras.

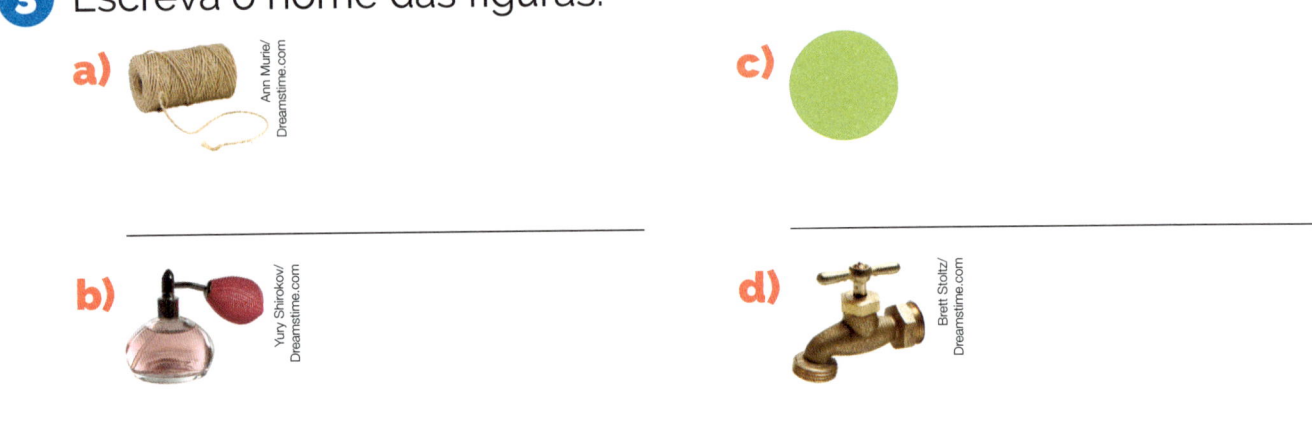

a) _____

b) _____

c) _____

d) _____

4 Pesquise e escreva outras palavras com **ar**, **er**, **ir**, **or** ou **ur**.

_____

_____

_____

_____

BRINCANDO COM A CRIATIVIDADE

1 Vamos conhecer um tipo de poema chamado **acróstico**. Leia o texto a seguir.

Lentamente,
A lagarta se
Guarda. E
Aguarda. De
Repente, a
Transformação
Acontece.

Texto produzido especialmente para esta obra.

Erik Malagrino

> Acróstico é um texto em versos em que as letras iniciais de cada verso, quando lidas no sentido vertical, formam uma palavra.

2 Agora, com a turma e o professor, crie um acróstico com a palavra **água** e outro com a palavra **fogo**.

Á_____   F_____

G_____   O_____

U_____   G_____

A_____   O_____

BRINCANDO

1 Você conhece esta cantiga? Cante-a com a turma. Depois pinte a borboleta.

Borboletinha tá na cozinha
fazendo chocolate para a madrinha.
Poti, poti, perna de pau
Olho de vidro
Nariz de pica-pau
Pau, pau...

Cantiga.

2 Agora é sua vez de registrar uma cantiga que você conhece.

_____
_____
_____
_____
_____

PEQUENO CIDADÃO

Emoticons

Com o passar do tempo, cada vez mais as pessoas conversam por meios eletrônicos.

Para facilitar e tornar mais rápida a comunicação, foram criadas imagens que representam sentimentos ou expressões que desejamos transmitir em nossas conversas.

Essas imagens são chamadas de **emoticons**.

1 Contorne os tracejados e descubra alguns *emoticons*.

Ilustrações: Erik Malagrino

2 O que essas imagens significam?

3 Você acha que os *emoticons* são sempre a melhor opção em uma conversa eletrônica? Por quê? Converse com o professor e os colegas.

PESQUISANDO

1 Pesquise outras imagens como as que você viu na seção anterior.

2 Em uma folha de papel copie algumas delas e escreva seu significado para mostrar aos colegas.

UNIDADE 33

TEXTO

O título do texto a seguir é *De bem com a vida*. O que significa estar de bem com a vida? Acompanhe a leitura do professor.

De bem com a vida

Filó, a joaninha, acordou cedinho. Abriu a janela de sua casa e disse:

— Que lindo dia! Vou aproveitar para visitar minha tia.

— Alô, tia Matilde? Posso ir aí, hoje?

— Venha, sim, Filozinha. Vou fazer um **suflê** de abobrinha.

Filó vestiu seu vestido amarelo de bolinhas pretas, amarrou uma fita azul no chapéu de palha, calçou seus sapatinhos de verniz, passou batom vermelho, pegou o guarda--chuva e saiu pela floresta, toda elegante: plecht, plecht, plecht...

[...]

Nye Ribeiro. *De bem com a vida*. São Paulo: Editora do Brasil, 2012. p. 4-7.

GLOSSÁRIO

Suflê: comida assada e bastante leve.

BRINCANDO COM O TEXTO

1 Responda oralmente.

a) Qual é o nome da joaninha? E o da tia dela?

b) Que outras palavras do texto terminam em **inha**, como **joaninha**?

c) Circule no texto as cores que são mencionadas.

2 Desenhe como Filó ficou depois de se arrumar para ir visitar a tia Matilde.

CALIGRAFIA

As, es, is, os, us

1 Leia estas sílabas e copie-as com letra cursiva.

as   es   is   os   us

ATIVIDADES

1 Desembaralhe as sílabas e escreva as palavras.

a) te | cas | lo _____

b) tre | la | es _____

c) vis | ta | re _____

d) tar | da | mos _____

2 Acrescente a letra **s** no final da primeira sílaba de cada palavra para escrever novas palavras. Siga o exemplo.

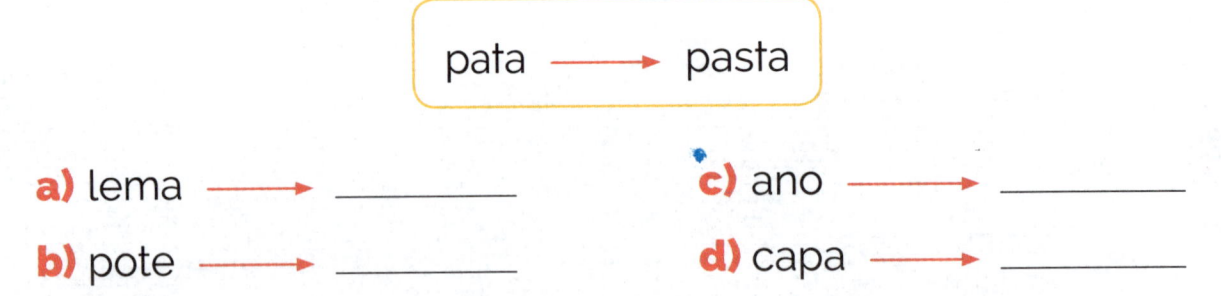

pata → pasta

a) lema → _____

b) pote → _____

c) ano → _____

d) capa → _____

3 Leia as palavras a seguir e copie-as na coluna adequada.

- casca
- escada
- fósforo
- rosto
- disco
- espiga
- lápis
- suspiro

Palavras com as	Palavras com es	Palavras com is	Palavras com os	Palavras com us

BRINCANDO

1 Você conhece esta parlenda? Cante-a com a turma.

Um, dois, feijão com arroz

Um, dois,
feijão com arroz.
Três, quatro,
feijão no prato.
Cinco, seis,
feijão inglês.
Sete, oito,
comer biscoito.
Nove, dez,
comer pastéis.

Parlenda.

2 Registre outra parlenda nas linhas a seguir. O professor vai ajudar na busca do texto. Depois, faça um desenho para ilustrar sua parlenda.

3 Forme uma dupla com um colega e, juntos, decifrem as adivinhas a seguir. Escreva a resposta nos espaços correspondentes.

O que é, o que é:

Que vive queimando a cabeça?

Resposta: _____

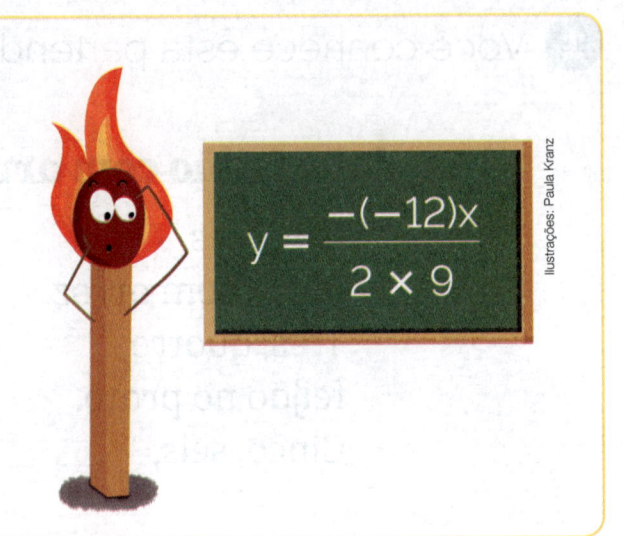

$$y = \frac{-(-12)x}{2 \times 9}$$

O que é, o que é:

Que sobe e desce,

Mas não sai do lugar?

Resposta: _____

O que é, o que é:

Que a tartaruga tem em cima

E o barco tem embaixo?

Resposta: _____

4 Observe as imagens no balão de pensamento de Ester e complete a lista com o nome delas.

camisetas	xampu
bermudas	creme
chinelos	protetor solar
maiôs	diário

_____   _____

_____   _____

_____   _____

_____   _____

UNIDADE 34

TEXTO

Leia o título do livro. De que assunto ele trata? Acompanhe a leitura do professor.

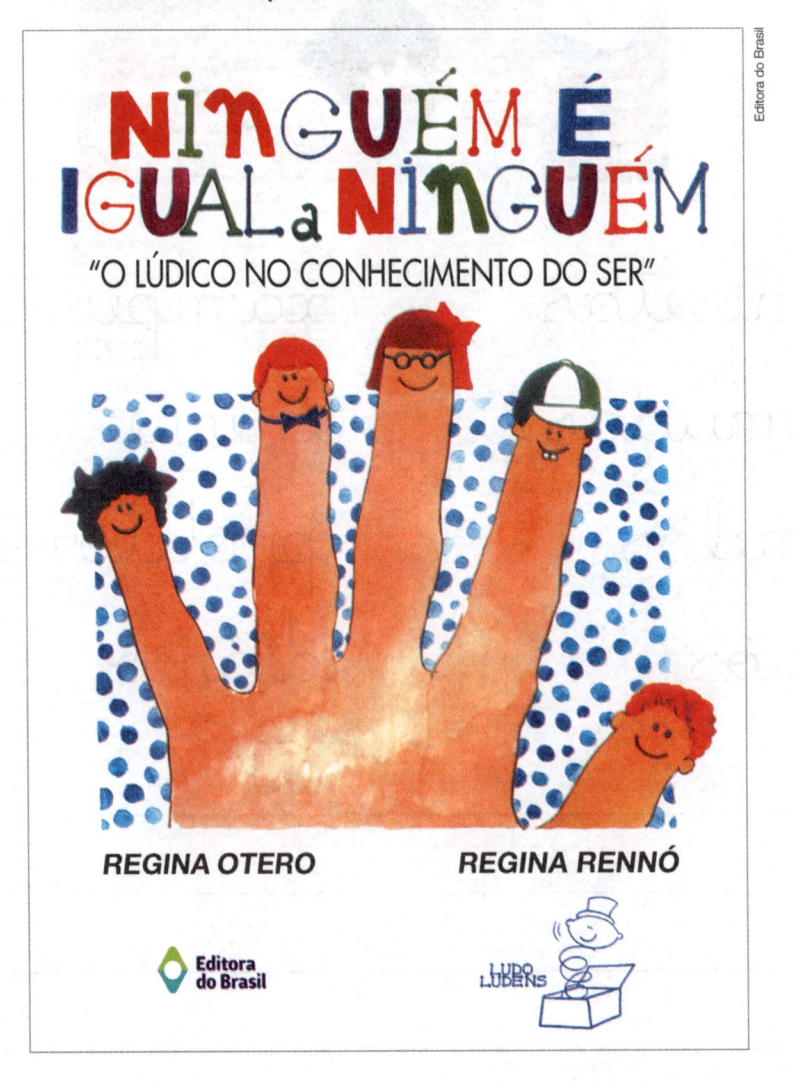

NINGUÉM É IGUAL a NINGUÉM
"O LÚDICO NO CONHECIMENTO DO SER"

REGINA OTERO   REGINA RENNÓ

Editora do Brasil
LUDO LUDENS

BRINCANDO COM O TEXTO

1 Responda às questões.

a) Qual é o título do livro?
_____

b) O que está desenhado na capa?
_____

2 Copie o título do livro. Depois, circule as sílabas com **gua** e **gue**.
_____

CALIGRAFIA

Gua, gue, gui, guo

1 Leia estas sílabas e copie-as com letra cursiva.

| gua | gue | gui | guo |

BRINCANDO COM AS LETRAS

1 Complete as palavras com **gua**, **guo**, **gue** ou **gui**.

a) lín_____

b) fo_____te

c) es_____cho

d) _____rani

e) caran_____jo

f) ambí_____

ATIVIDADES

1 Separe as palavras a seguir em sílabas. Pinte os quadrinhos que você não usar.

a) guia

b) açougue

c) guardanapo

d) guerra

2 Copie as palavras da atividade 1 no quadro a seguir e complete-o com as informações pedidas.

Palavra	Número de letras	Número de sílabas	Número de vogais	Número de consoantes

3 Pinte as sílabas que aparecem no nome das figuras. Depois, escreva cada nome.

a) é | à | qui

gi | gua | guia _____

b) fo | ra | que

ge | guei | ro _____

BRINCANDO

1 Vamos criar uma história com o título "Ninguém é igual a ninguém"?

Você e os colegas podem se inspirar na ilustração que aparece na capa do livro. Os dedos das mãos são iguais? Como são os desenhos na ponta de cada dedo?

O professor vai registrar na lousa a história que você e os colegas vão criar. Depois, copie a história no livro.

_____
_____
_____
_____
_____
_____

UNIDADE 35

TEXTO

O texto a seguir se passa em três dias de uma semana. Quais dias são esses? O que você observou para descobrir? Acompanhe a leitura do professor.

Nós somos os melhores!

[...]

SEG – Numa segunda-feira, Gil, o camaleão, tomou uma importante decisão. Nada de se adaptar e se **camuflar**. Mas a indiferença dos outros de repente acabou deixando-o irritado.

TER – Na terça-feira, Suzi, a porquinha-do-mato, resolveu nunca mais tomar banhos de lama. Ficará limpa como ninguém. Mas agora que está toda limpa, acha que tudo ficou muito chato. E apenas solta alguns **grunhidos** pra si mesma...

QUA – No mundo, tudo é **supérfluo** – queixou-se o pavão Carlos, na quarta-feira.

– Quero encontrar alguém que goste de mim não só pela minha beleza. Por isso, nunca mais vou mostrar minha **plumagem**! – Mas, à noite, ele já estava chateado, pois não recebia mais elogios por suas plumas.

[...]

Sophie Schmid. *Nós somos os melhores!* Tradução: Julio Sato. São Paulo: Ciranda Cultural, 2013. p. 6.

GLOSSÁRIO

Camuflar: disfarçar-se em um ambiente ficando parecido com os elementos que estão ao redor.

Grunhido: som emitido pelo porco; resmungo, reclamação.

Plumagem: conjunto de penas que recobre as aves.

Supérfluo: desnecessário, mais do que realmente se precisa.

BRINCANDO COM O TEXTO

1 Responda oralmente:

a) Por que as decisões tomadas pelos bichos da história são inesperadas?

b) Os animais ficaram satisfeitos com o resultado das decisões que tomaram? Por quê?

c) Observe, no texto, as palavras **SEG**, **TER** e **QUA**. A que elas se referem? Onde costumamos encontrá-las?

2 Leia as palavras do **Glossário**. Copie as que têm as letras **fl** ou **pl**.

_____
_____
_____
_____
_____
_____

CALIGRAFIA

Bl, cl, fl, gl, pl, tl

1 Copie com letra cursiva.

bl   cl   fl

gl   pl   tl

ATIVIDADES

1 Preencha o quadro com exemplos de palavras com **bl**, **cl**, **fl**, **gl**, **pl** e **tl**.

Palavras com bl	Palavras com cl	Palavras com fl

Palavras com gl	Palavras com pl	Palavras com tl

BRINCANDO

1 Cante a cantiga a seguir com os colegas. Faça gestos com as mãos para representar o jeito de tocar cada instrumento.

Loja do mestre André

Foi na loja do mestre André
que eu comprei um pianinho,
plim, plim, plim, um pianinho.

Foi na loja do mestre André
que eu comprei uma flautinha,
plim, plim, plim, uma flautinha.

Ai, olé, ai, olé, foi na loja
do mestre André.
Ai, olé, ai, olé, foi na loja
do mestre André.
[...]

Cantiga.

2 Na loja do mestre André podem ser comprados outros instrumentos musicais. Pesquise a letra da música inteira e escreva mais um trecho dessa cantiga nas linhas a seguir.

_____
_____
_____
_____
_____
_____
_____

UNIDADE 36

TEXTO

O que você acha que um texto com o título "Historinha ao contrário" vai contar? Acompanhe a leitura do professor.

Historinha ao contrário

Esta é uma história de pai e mãe.

Por que todo pai, coitado, tem que ter cara de pai, tem que usar roupa de pai, tem que dizer frases de pai, tem que fazer tudo de pai, mesmo que esteja com vontade de raspar a panela do brigadeiro?

E por que é que toda mãe tem que ser mãe o dia inteiro sem parar, pra lá e pra cá, toc toc toc, com aqueles sapatos de mãe, mesmo que esteja a fim de virar uma cambalhota?

Ah, não.

Um dia um pai e uma mãe resolveram fazer tudo ao contrário.

O pai fechou o jornal, a mãe abriu um sorriso, e lá se foram os dois, pulando de um pé só, tomar banho de chuva.

Dançaram que nem doidos nas praças.

Jogaram muitas pedras nas poças.

[...]

Acharam graça de tudo.

Acharam graça de nada.

Perderam a hora.

Voltaram caminhando só pelos desenhos pretos da calçada.

[...]

Chegaram em casa felizes, suados e cansados, para espanto dos três filhos que estavam esperando na janela e que logo perguntaram:

– Vocês podem explicar o que aconteceu?

[...]

Adriana Falcão. Historinha ao contrário. In: Adriana Falcão. *Sete histórias para contar*. São Paulo: Salamandra, 2013. p. 37-41.

BRINCANDO COM O TEXTO

1 Responda oralmente.

a) Como é uma "cara de pai"? E uma "frase de pai"?

b) Como é um "sapato de mãe"? Pense no som que a expressão "toc toc toc" representa.

c) O que o pai e a mãe da história fizeram surpreendeu você?

d) Por que o texto se chama "Historinha ao contrário"?

2 E para você? Como seria seu "dia ao contrário"?

_____
_____
_____

3 Será que seus familiares também gostariam de fazer tudo ao contrário? Para descobrir, você poderá fazer uma pequena entrevista com seu pai, sua mãe ou outra pessoa de sua convivência.

Siga o roteiro de perguntas ou invente outras.

Roteiro de perguntas

- O que você costuma fazer todos os dias?
- O que você ainda não fez e pretende fazer na vida?
- O que você gostaria de fazer ao contrário do que faz hoje?

Com a ajuda de uma pessoa de sua família, grave um vídeo da entrevista para depois mostrar aos colegas da turma.

BRINCANDO COM AS LETRAS

Br, cr, dr, fr, gr, pr, tr, vr

1 Escreva nos espaços adequados do quadro as palavras a seguir. Depois, preencha as colunas vazias com um exemplo.

brigadeiro ▪ contrário ▪ frases ▪ graça ▪ pedras ▪ praças

Palavra com br	Palavra com cr	Palavra com dr	Palavra com fr

Palavra com gr	Palavra com pr	Palavra com tr	Palavra com vr

2 Leia as palavras a seguir e separe-as em sílabas.

a) trabalho

b) braço

c) prova

d) segredo

e) fruteira

f) madeira

g) jacaré

h) palavra

3 Escreva o nome das imagens a seguir.

a) _____

b) _____

c) _____

d) _____

e) _____

f) _____

4 Complete as palavras das frases com as sílabas do quadro.

pres ■ tre ■ bri ■ dri ■ fri ■ vro ■ cru ■ gru

a) Durante o _____ zeiro, visitamos uma _____ ta.

b) As es _____ las _____ lhavam na noite _____ a.

c) A _____ ana me em _____ tou um li _____ .

CALIGRAFIA

Uso do til (~)

1 Leia estas palavras e copie-as com letra cursiva.

a) mamãe

b) avelã

c) avião

d) gaviões

ATIVIDADES

1 Ordene as sílabas e escreva o nome das figuras.

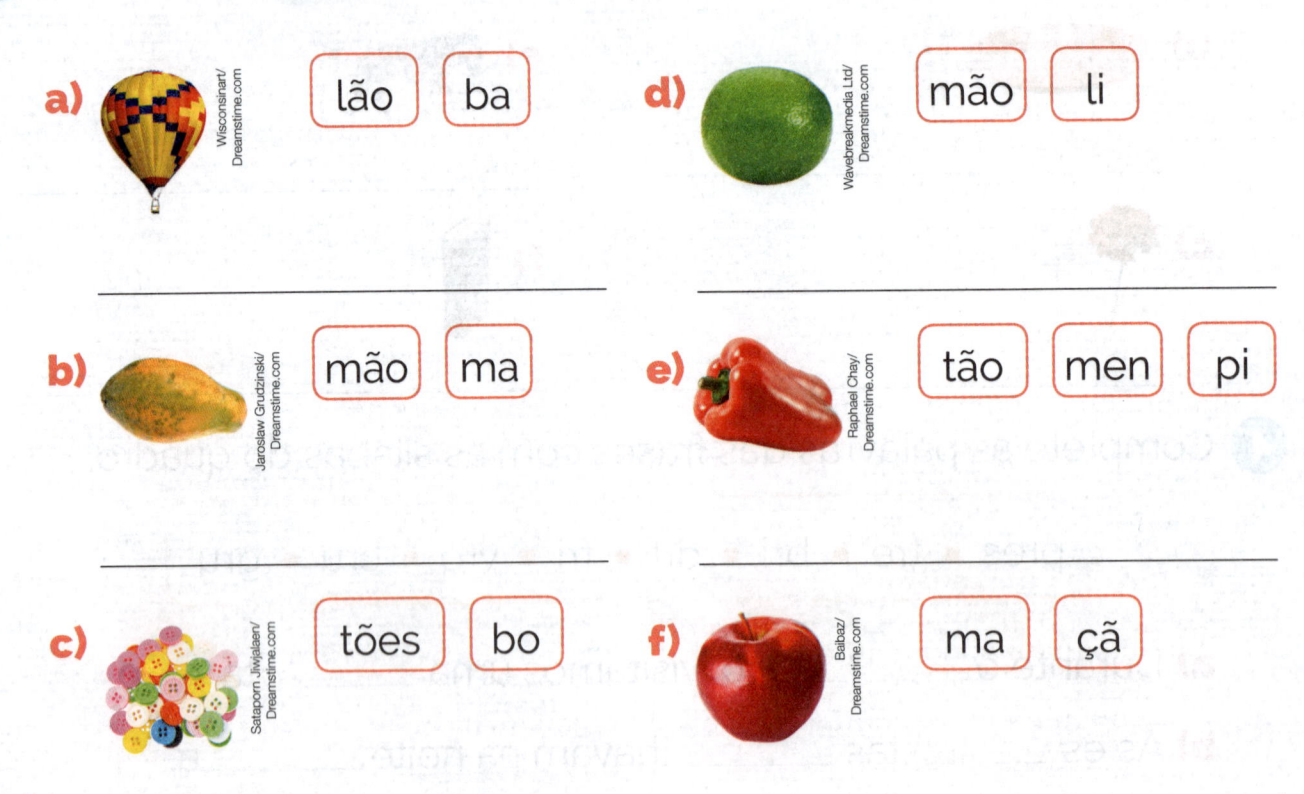

a) lão | ba

b) mão | ma

c) tões | bo

d) mão | li

e) tão | men | pi

f) ma | çã

2 Faça um **X** na figura cujo nome é escrito com **til** (~).

3 Em cada item, pinte a figura cujo nome rima com o nome da primeira figura.

a) leão

b) anel

c) tobogã

BRINCANDO

1 Você conhece a cantiga *O cravo e a rosa*? Complete a letra da cantiga com as palavras do quadro. Atenção: há três palavras "intrusas", que não fazem parte da letra.

> cravo ▪ rosa ▪ brigou
> xingou ▪ escada ▪ sacada
> chorar ▪ cantar

O cravo e a rosa

O cravo _____ com a rosa

Debaixo de uma _____

O _____ saiu ferido
E a rosa despedaçada.
O cravo ficou doente

A _____ foi visitar
O cravo teve um desmaio

A rosa pôs-se a _____.

Cantiga.

2 Agora, cante a cantiga com a turma.

3 Com a ajuda de pessoas de sua família, escreva outra cantiga em uma folha de papel e leve-a para a sala de aula. Cante-a para os colegas.

4. Vamos brincar de "Escravos de Jó". Depois de aprender bem a letra da cantiga, organize-se com os colegas para fazer a coreografia.

1. A turma, sentada no chão, forma um círculo.
2. Todos os participantes apoiam no chão um mesmo objeto (pedrinha, caneca de plástico etc.).
3. Todos cantam a cantiga fazendo a coreografia de acordo com a parte cantada. Veja a legenda abaixo da cantiga.

Escravos de Jó

Escravos de Jó
Jogavam caxangá
Tira, põe,
Deixa ficar
Guerreiros com guerreiros
Fazem zigue-zigue, zá
Guerreiros com guerreiros
Fazem zigue-zigue, zá

Cantiga.

Sílabas em **rosa**: ponha o objeto na frente do colega da esquerda, mas sem soltá-lo.
Sílabas em **verde**: ponha o objeto na frente do colega da direita, mas sem soltá-lo.
Sílabas em **vermelho**: passe o objeto para o colega da direita.
"Tira": levante o objeto do chão.
"Põe": apoie o objeto no chão.
"Deixa ficar": deixe o objeto no chão e tire a mão dele.

UNIDADE 37

TEXTO

Você sabe o que é um pirata? Como será um pirata de palavras?
Acompanhe a leitura do professor.

Pirata de palavras

Heitor era um menino que trazia sempre no bolso folhas de papel e uma caneta azul.

Quando passeava pela rua, voltando da escola, ia anotando palavras dos luminosos de propaganda, cartazes e placas. [...]

Seus amigos perguntavam:
— Para que isso, Heitor?
Ele sorria e dizia:
— Sou pirata de palavras!

Ele imaginava criar uma grande história, colecionando palavras como quem guarda selos. [...]

No terceiro dia juntou chácara, chuvisco, chapéu, chaveiro, xarope, xadrez, chocolate, chifre. [...]

Jussara Braga. *Pirata de palavras*. São Paulo. Editora do Brasil, 2010. p. 1, 2, 4 e 7.

BRINCANDO COM O TEXTO

1 Responda às questões oralmente.

a) Heitor dizia ser um "pirata de palavras". O que é um pirata? E o que seria um "pirata de palavras"?

b) Qual era o objetivo de Heitor ao colecionar palavras?

c) Pense nas palavras que Heitor juntou. Você acha que elas vão render uma grande história? Por quê?

d) Leia em voz alta as palavras que Heitor juntou. A letra **x** em **xadrez** e **xarope** tem som igual ao de que letras das palavras **chácara**, **chuvisco**, **chapéu**, **chaveiro**, **chocolate** e **chifre**?

2 Releia o final do texto.

No terceiro dia juntou chácara, chuvisco, chapéu, chaveiro, xarope, xadrez, chocolate, chifre. [...]

Vamos imaginar uma história utilizando essas palavras? A história será coletiva. Ajude os colegas com suas ideias. O professor vai escrever a história na lousa.

BRINCANDO COM AS LETRAS

Sons do X

Você viu que em certas palavras a letra **x** pode ter o mesmo som das letras **ch**. Conheça outros sons do **x**.

Som do x = s/ss	Som do x = z	Som do x = cs
explicação, próximo	exemplo, exercício	boxe, reflexo

A letra **x** pode ter o mesmo som das letras **ch** (xarope), **s/ss** (próximo), **z** (exemplo) e **cs** (boxe).

1. Copie as palavras a seguir nas colunas adequadas, de acordo com o som do **x** em cada uma delas.

- ameixa
- maxilar
- exercício
- exagero
- axila
- anexo
- texto
- exposição
- exato
- bexiga
- auxílio
- xarope

Som do x = ch (exemplo: xadrez)	Som do x = z (exemplo: exame)
Som do x = s ou ss (exemplo: próximo)	**Som do x = cs (exemplo: reflexo)**

2. Leia as palavras a seguir com atenção. Em cada item, circule a palavra que o professor ditar.

a) linha
lixa
lixo

b) farinha
faxina
facho

c) caixa
coxa
colcha

d) testa
texugo
texto

3. Escolha duas palavras ditadas na atividade anterior e crie uma frase para cada uma no caderno.

ATIVIDADES

1 Escreva o nome destas figuras.

a) _____

b) _____

c) _____

d) _____

e) _____

f) _____

2 Encontre no diagrama as palavras que você escreveu na atividade 1.

F	N	A	M	C	A	I	X	A	C	A	U
Z	C	H	I	E	N	X	A	D	A	P	C
O	P	E	A	B	A	C	A	X	I	K	B
J	W	S	O	X	Í	C	A	R	A	N	D
S	E	M	R	I	U	P	E	I	X	E	A
I	S	A	X	O	F	O	N	E	Z	O	Y

PEQUENO CIDADÃO

Meios de comunicação

Em nosso dia a dia, usamos diversos meios para nos comunicar com as pessoas que não estão por perto ou que vivem longe de nós.

Observe abaixo alguns aparelhos muito utilizados atualmente para comunicação.

1 Escreva o nome de cada um desses aparelhos. Se não souber, peça ajuda ao professor.

_____

_____

2 Circule as imagens dos aparelhos que você utiliza para se comunicar com familiares e amigos.

3 Em sua opinião, existem meios de comunicação melhores que outros? Converse com o professor e os colegas.

BRINCANDO

1 Você vai escolher um livro do qual gosta muito para indicar à turma.

a) Para começar, preencha a ficha a seguir com as informações solicitadas.

Título do livro	
Nome do autor	
Nome da editora	
Nome do personagem principal	

b) Faça um desenho para representar a história do livro. Você pode desenhar o personagem principal ou o acontecimento mais importante.

c) Na sua vez, conte um pouco da história do livro aos colegas e ao professor.

2 Com a ajuda do professor, gravem um vídeo para convidar alunos de outras turmas da escola a ler os livros que vocês indicaram. Cada um poderá mostrar a capa do livro, ler o título, o nome do autor e da editora. Quem quiser, pode ler um trecho da história durante a gravação.

ENCARTES

Alfabeto móvel

A	A	A	A	B
B	C	C	D	D
E	E	E	E	F
F	G	G	H	H
I	I	I	I	J
J	K	K	L	L

A	A	A	A	B
B	C	C	D	D
E	E	E	E	F
F	G	G	H	H
I	I	I	I	J
J	K	K	L	L

M	M	N	N	O
O	O	O	P	P
Q	Q	R	R	S
S	T	T	U	U
V	V	W	W	X
X	Y	Y	Z	Z

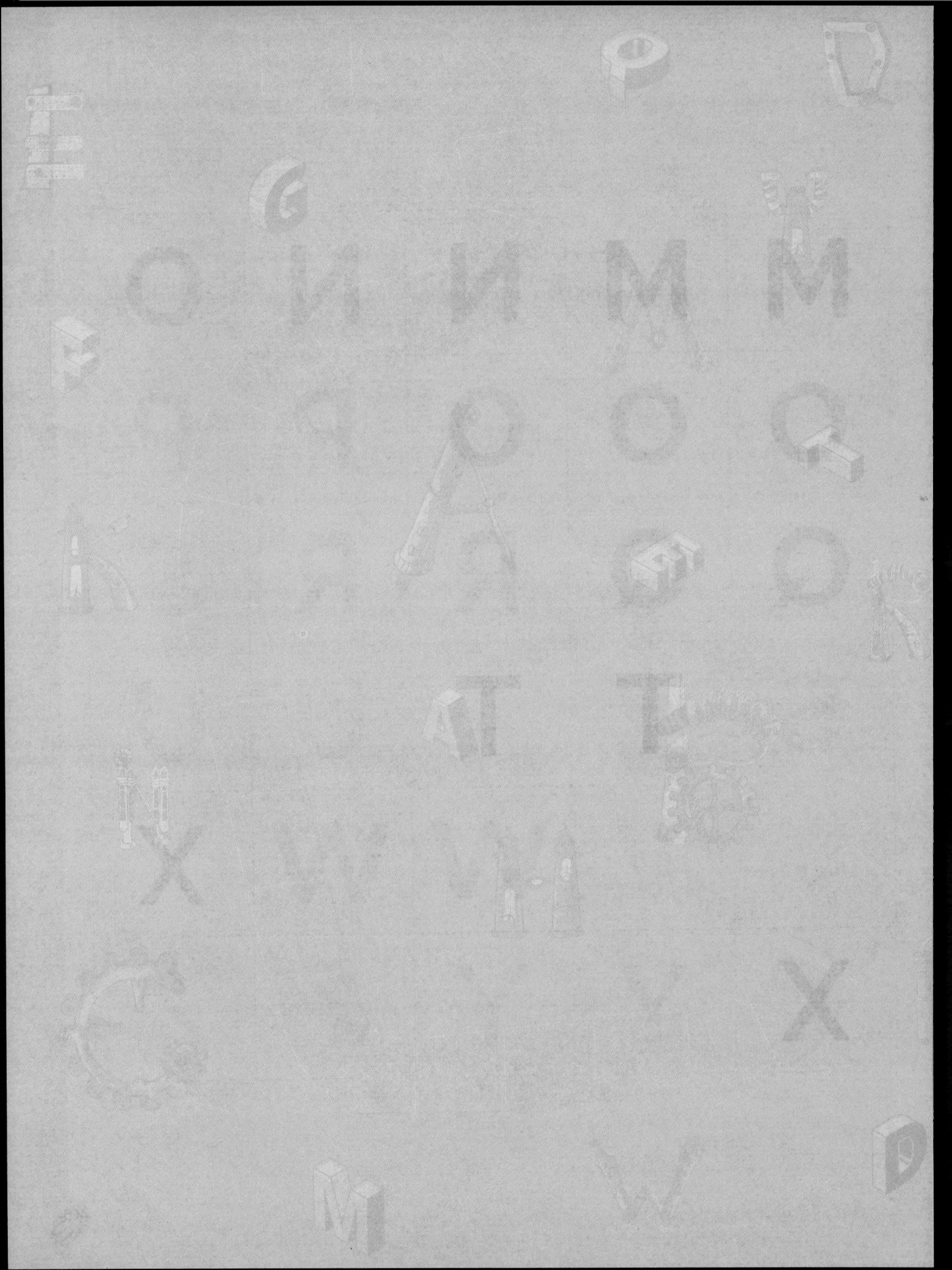

M	M	N	N	O
O	O	O	P	P
Q	Q	R	R	S
S	T	T	U	U
V	V	W	W	X
X	Y	Y	Z	Z

Unidade 12 – página 85

LEÃO

CAVALO

LOBO

ELEFANTE

GALINHA

ESQUILO

BALEIA

GORILA

Unidade 4 – página 40

EI! UAU! OI!

AU! UI! AI!

Unidade 27 – página 180

bota ovo amarelinho.

bota nove, bota dez.

bota cinco, bota seis,

Bota um, bota dois,

bota sete, bota oito,

A galinha do vizinho

bota três, bota quatro,

Unidade 28 – página 186

SÍLABAS

BA	BE	BI	BO	BU
CA	CE	CI	CO	CU
DA	DE	DI	DO	DU
FA	FE	FI	FO	FU
GA	GE	GI	GO	GU
HA	HE	HI	HO	HU
JA	JE	JI	JO	JU
LA	LE	LI	LO	LU
MA	ME	MI	MO	MU
NA	NE	NI	NO	NU
PA	PE	PI	PO	PU
RA	RE	RI	RO	RU
SA	SE	SI	SO	SU
TA	TE	TI	TO	TU
VA	VE	VI	VO	VU
ZA	ZE	ZI	ZO	ZU
QUA	QUE	QUI	GUE	GUI

LETRAS-CURINGA

S	R	N	C	L

SÍLABAS

BA	BE	BI	BO	BU
CA	CE	CI	CO	CU
DA	DE	DI	DO	DU
FA	FE	FI	FO	FU
GA	GE	GI	GO	GU
HA	HE	HI	HO	HU
JA	JE	JI	JO	JU
LA	LE	LI	LO	LU
MA	ME	MI	MO	MU
NA	NE	NI	NO	NU
PA	PE	PI	PO	PU
RA	RE	RI	RO	RU
SA	SE	SI	SO	SU
TA	TE	TI	TO	TU
VA	VE	VI	VO	VU
ZA	ZE	ZI	ZO	ZU
GUA	GUE	GUI	GUO	GUU

LETRAS-GURINGA